Lilli Palmer, als Tochter eines Arztes und einer Schauspielerin in Posen geboren und in Berlin aufgewachsen, nahm bei den Reinhardt-Schauspielerinnen Lucie Höflich und Ilka Grüning Schauspielunterricht und bekam ihr erstes Engagement bei Gustav Hartung am Darmstädter Landestheater. Als sie 1933 Deutschland verlassen mußte, ging sie nach Paris und London, wo sie nach entbehrungsreichen Jahren für den Film entdeckt wurde. Ihre steile Karriere führte sie 1945 nach Hollywood, wo sie sich – zusammen mit ihrem ersten Mann, Rex Harrison – schnell durchzusetzen vermochte. Als die auch am Broadway überaus erfolgreiche Schauspielerin 1954 nach Deutschland zurückkehrte, wurde sie mit Angeboten und Auszeichnungen (u. a. zwei Bundesfilmpreisen) überhäuft. Heute lebt sie mit ihrem zweiten Mann, dem Schriftsteller und Filmschauspieler Carlos Thompson, in der Schweiz. In ihrer Freizeit widmet sich die vielbeschäftigte Schauspielerin und Autorin, deren Bücher auch in vielen anderen Sprachen erschienen sind, mit viel Erfolg der Malerei.

Die Bücher von Lilli Palmer im Urteil der Kritik:

Dicke Lilli – gutes Kind
»Es ist geradezu unfair, daß jemand, der so schön ist, auch noch so begabt ist.«
Orson Welles

Der rote Rabe
»Lilli Palmer hat nach dem Gesellenstück auch die Meisterprüfung absolviert.«
Die Welt

Umarmen hat seine Zeit
»Lilli Palmers Roman deutet auf einen gestählten Profi hin. Dazu werden wir mit den Beobachtungen, auch mit den Sentenzen einer welt- und lebenskundigen und sogar witzigen Person bedacht. Wer den sehr unterhaltenden Roman gelesen hat, könnte am Ende einiges gelernt haben.«
Frankfurter Allgemeine Zeitung

Nachtmusik
»Ihre lebhafte Phantasie, ihre Menschenkenntnis und Weltfreundlichkeit, nicht zuletzt ihr sehr persönlicher, treffsicherer Humor haben den Romanen viele interessierte Leser gewonnen.« *Neue Zürcher Zeitung*

Eine Frau bleibt eine Frau
»Gesehenes und Gehörtes in Lesbares umzuwandeln, das man, wie unser aller Goethe es ausdrückt, getrost nach Hause tragen kann, dieses Ungewöhnliche ist einer ungewöhnlichen Frau gelungen: Lilli Palmer.«
Braunschweiger Zeitung

S0-AAC-592

Von Lilli Palmer sind außerdem
als Knaur-Taschenbücher erschienen:

»Dicke Lilli – gutes Kind« (Band 476)
»Der rote Rabe« (Band 644)
»Umarmen hat seine Zeit« (Band 789)
»Nachtmusik« (Band 1090)
»2mal Lilli« (Band 1163)

Vollständige Taschenbuchausgabe
mit 21 Abbildungen
Droemersche Verlagsanstalt Th. Knaur Nachf. München
© Copyright by Verlag Schoeller & Co., Ascona
und Lilli Palmer, Goldingen, 1982
Umschlagfoto Sven Simon
Druck und Bindung Clausen & Bosse, Leck
Printed in Germany · 1 · 26 · 485
ISBN 3-426-01320-7

1. Auflage

Lilli Palmer:
Eine Frau bleibt eine Frau

Nach der erfolgreichen ZDF-Serie

Bildnachweis

Ullstein GmbH, Berlin Seite 81
ZDF-Bilderdienst Seite 82, 83, 86, 87, 88, 153, 156 oben, 157
TelePress, Hamburg Seite 84, 85, 154, 155, 156 unten, 158, 159
Norbert Unfried, Hamburg Seite 160

ISBN 3-426-01320-7   680

Diese zwölf Geschichten basieren auf der Fernsehserie »Eine Frau bleibt eine Frau«, die eine Zeitlang einmal im Jahr vom ZDF gesendet wurde.

Herbert Reinecker, der sonst die Drehbücher zu »Der Kommissar« oder »Derrick« schrieb, machte es Spaß, einmal den Leichengeruch loszuwerden, und ich schrieb die restlichen, allerdings unter dem Namen meines Großvaters: Hermann Lissmann. Er ist 1905 verstorben, so daß er mich wegen Verunglimpfung nicht mehr belangen konnte.

Es war mein erster Auftritt im deutschen Fernsehen, und ich dachte damals – zu Recht, wie mir auch heute noch scheint –, daß ich mich in den Millionen von Wohnzimmern nur als Schauspielerin vorstellen sollte, ohne den Zuschauer mit dem Gedanken zu belasten: So, so, das hat sie also selbst gekritzelt.

Nun aber möchte ich meinen Großvater – er soll ein lustiger Herr gewesen sein – nicht weiter strapazieren und setze hiermit wacker meinen Namen unter meine und Reineckers unter seine Beiträge. Er gab mir großzügigerweise die Erlaubnis, auch seine Drehbuchvorlagen neu zu schreiben, das heißt, das Visuelle und Hörbare ins Lesbare zu übertragen, Hintergründe aufzuzeigen, die Handlung zu ergänzen und zu erweitern, kurz: die Fernsehmanuskripte in Geschichten zu verwandeln.

Inhalt

Ganz ohne Trara   9
nach einer Drehbuchvorlage von Herbert Reinecker

Ein Gefühl – nicht mit Geld zu bezahlen   21
nach einer Drehbuchvorlage von Herbert Reinecker

Die Auktion   31
von Lilli Palmer

Herr Müller   51
von Lilli Palmer

Erschöpft, erhitzt und derangiert   69
nach einer Drehbuchvorlage von Herbert Reinecker

Im Jahre 1982   99
von Lilli Palmer

Mutter hat recht   117
von Lilli Palmer

Weg vom Fenster   137
nach einer Drehbuchvorlage von Herbert Reinecker

Was dem einen sin Ul . . .   165
von Lilli Palmer

Der Zug nach Rom   183
nach einer Drehbuchvorlage von Herbert Reinecker

Schwiegertöchter oder Das richtige Stück Käse   201
von Lilli Palmer

Adresse und Telefonnummer   221
von Lilli Palmer

Ganz ohne Trara

Die Situation ist fast so alt wie die Menschheit: der Mann —
seine Ehefrau — und noch eine Frau. Darüber berichtet schon
die Bibel.

Wenn ich diesem Gedanken nachgehe, dann sehe ich den
Hausvater in der guten alten Zeit vor mir, der mit der Brille
auf der Nase seinem Hausstand täglich aus der Bibel ein
Kapitel vorlas, zur Erbauung und Belehrung. Was aber, frage ich mich, schreibt die Bibel — und tut sie es überhaupt? —
als Richtschnur für die ehrwürdige Tradition des Ehebruchs
vor? Gab's das nicht schon bei Adam und Eva — und einer
gewissen Lilith? Von der allerdings sagt die Bibel nichts,
aber etwas später erzählt sie von verschiedenen »Mägden«,
die der Herr selbst seinen auserwählten Söhnen empfahl;
meistens damit sie ihnen Nachkommen schenkten — aber
diese Motivierung ist heutzutage selten geworden. Man
kauft sich zwar immer noch »Mägde«, aber aus anderen
Gründen. So eine Transaktion ist auch heute noch einfach,
und unser Dreieck Mann — Frau — Magd ist schnell instal-
liert. Nur bleibt es auf die Dauer meistens nicht einfach ...

Das Badezimmer war ganz und gar verspiegelt. Wände wie Decke bestanden aus zusammengesetzten Spiegelscheiben, nur der Boden war mit dickem, schwarzem Teppich ausgelegt. Wenn Rose eintrat, tauchten viele wunderschöne, braunhaarige Mädchen gleichzeitig auf, die sich wie auf einem alten Bild geheimnisvoll von dunklem Hintergrund abhoben. Sie blieb oft in der Mitte stehen und bewegte ihre Glieder, nur um zu sehen, wie Dutzende von weißen Armen hin und her fächelten, ohne sich jemals zu berühren.

Und nun gar, wenn sie in der Badewanne saß! Dann wußte sie überhaupt erst, wie schön sie war. Am allerschönsten vielleicht, wenn sie nach oben blickte und im Deckenspiegel aus der Vogelperspektive erschien. Sie nahm sich vor, nur sehr große Männer um sich zu haben. »Um sich« ist vielleicht nicht ganz zutreffend, dachte sie und kicherte.

Rose trällerte, als sie an jenem Tag in der Wanne saß, und dirigierte ihren Gesang mit dem Schwamm als Taktstock, während hundert Schwämme an den Wänden mitdirigierten. Sie fühlte sich sehr wohl und war sehr zufrieden mit sich. Der Mann, der ihr diese Wohnung gemietet und eingerichtet hatte, war nicht nur groß, er hatte auch Geschmack. Unglaublich, wie er auf ihre Psyche eingegangen war. Diesen würde sie behalten, wenigstens vorläufig, obwohl es ihr nicht an Auswahl fehlte, so schön, wie sie war, und so jung und beileibe nicht dumm. Nein, nein, bei Albert lag sie richtig, auf jede Weise, und heute abend gingen sie ins Theater . . . Sie sang aus vollem Hals, und die Schwämme flogen durch die Luft.

Hatte es da eben an der Wohnungstür geklingelt? Sie war mitten in einem Triller und daher nicht ganz sicher. Albert kam nie vor sechs Uhr . . . doch! Es klingelte wieder. Rose fluchte. Mußte sie wahrhaftig aus dem herrlich warmen Wasser raus? Ja, denn es klang, als wüßte der Klingler, daß sie zu Hause war. Vielleicht doch schon Albert.

Sie öffnete die Badezimmertür, rief laut: »Augenblick«, und wickelte sich in ein großes, weißes Badetuch, lief auf nassen Füßen zur Tür.

»Hallo, Albert?«

Eine Frauenstimme: »Noch nicht. Nur seine Frau.«

Rose erstarrte, die Hände auf die Türklinke gelegt.

Die Stimme fuhr mit einem kleinen Lachen fort: »Machen Sie nur auf. Hoffentlich komme ich Ihnen nicht *zu* ungelegen.«

Was tue ich jetzt, fragte sich Rose. Soll ich einfach nein sagen oder gar nichts oder sie reinlassen?

»Darf ich nicht?« schnurrte es durch die Tür, und Rose, überrumpelt, öffnete.

Die Frau war gute zwanzig Jahre älter als sie. Sie trug ein Kostüm und einen hübschen, weißen Hut und strahlte Rose an, als sei nun endlich ihr Herzenswunsch in Erfüllung gegangen.

»Bitte tausendmal um Entschuldigung«, und schon war sie über die Schwelle. »Ich sehe, ich hätte keinen unglücklicheren Moment wählen können . . . Wenn Sie gestatten, schließe ich die Tür. Es zieht, und Sie sind ja noch ganz naß. Sie werden sich erkälten. Bleiben Sie doch nicht in der Diele!«

Sie wanderte an Rose vorbei ins Wohnzimmer, als ginge sie

hier ein und aus, blieb aber dann doch stehen und sagte plötzlich schüchtern: »Störe ich Sie? Ich könnte wiederkommen, wenn Ihnen das angenehmer wäre. Aber – wäre es Ihnen angenehmer?«

Rose hatte sich von ihrem ersten Schreck erholt und war wieder fähig, klar zu denken und kühn zu entscheiden. Das hatte sie immer gekonnt. Die sollte bloß nicht denken, daß sie Angst vor ihr hatte, das wäre ja gelacht.

»Moment bitte«, sagte sie und ging ins Badezimmer, um ihre Streitkräfte zu mobilisieren: Haare frisch gekämmt, neuer gelber Hausanzug mit Pumphosen, silberne Pantoffeln – ganz Haremsdame. Nur nicht mit der angetrauten Ehefrau »ehrbar« konkurrieren! Man war, was man war, und mit Panache.

Als sie ins Wohnzimmer zurückkehrte, sah sie, daß Alberts Frau bereits saß. In einem Sessel, und zwar in dem, der *gegen* das Licht gekehrt war. Rose lächelte. Daß Albert verheiratet war, wußte sie. Er hatte gleich zu Anfang gesagt, sie solle davon Kenntnis nehmen, er sei kein Filou. (»Kein was?« hatte sie gefragt. »Kein Gauner.« »Ach so.«)

Aber das war auch alles. In den drei Monaten ihrer »Bekanntschaft« hatte er seine Frau kein einziges Mal erwähnt. Rose hatte angenommen, daß sie eine Niete war wie so viele rechtmäßig Installierte. Also: Eine Niete war die nicht. Die war eher dreist, die mußte man in ihre Grenzen verweisen, auf elegante Weise.

»Was darf ich Ihnen anbieten? Whisky?«

»Danke, gerne. Pur, bitte.«

Whisky pur. Das klang raffiniert. Rose ging schwingenden Schrittes zur Anrichte und goß zwei Gläser Whisky ein, während die Frau ihr zusah und anerkennend nickte.

»Albert hatte ganz recht. Er sagte: ›Du wirst sehen, sie ist nicht zu erschrecken.‹«

Rose merkte vor Überraschung nicht, daß das zweite Glas auf der Anrichte stehenblieb, als sie sich ans Zurückschwingen machte.

»Er weiß, daß Sie hier sind?« Das war doch wohl . . . erstaunlich.

»Ich sagte zu ihm, ich würde gelegentlich mal vorbeischauen. Die Gelegenheit ergab sich heute, rein zufällig.« Sie wartete, bis sich das Mädchen hingegossen im anderen Sessel plaziert hatte. »Eine schöne Wohnung!«

Rose schlug ein gelbes Bein elegant über das andere und sagte kühl: »Ja, sie ist schön.«

Alberts Frau sah sich gründlich nach allen Seiten um.

»Und nicht zu teuer«, sagte sie abschließend.

»Meinen Sie die Miete?«

»Ich meine die Miete.«

»Sie wissen, wie hoch die ist?«

»Ich weiß, was Albert dafür bezahlt.«

»Aber er bezahlt doch nicht meine *Miete*?«

»Liebe Rose – ich darf Sie doch so nennen, ja? Wir sprechen untereinander immer von Rose und nicht von Fräulein Glotz. Also, liebe Rose, er bezahlt *Sie*, und Sie bezahlen die Miete.« Sie lächelte zufrieden. »Hoffentlich mißverstehen Sie mich nicht. Albert kann es sich leisten, er muß keine Opfer dafür bringen, nein, nein! Und es macht ihm Spaß, Wohnungen einzurichten. Mit der Zeit ist es ein echtes Hobby geworden. Gott sei Dank, er brauchte eins! Wissen Sie, ein Mann ohne Hobby . . .« Sie hob die Augen zur Decke. »Ja, nun hat er eins. Ich finde sogar, er hätte Innenarchitekt werden sollen. Diese Wohnung hier zum Beispiel«, sie sah sich noch einmal prüfend um, »diese ist ihm besonders gut geglückt, meinen Sie nicht auch?« Aber sie wartete Roses Antwort nicht ab. »Wir haben lange über die Frage der roten Tapeten debattiert . . .«

Rose setzte ihr Glas ab.

»Über meine roten Tapeten?«

»Über Ihre, ja. Er weckte mich eines Nachts – ich kann's ihm nun mal nicht abgewöhnen! – und sagte: ›Ich habe ein Problem.‹ Mitten in der Nacht, stellen Sie sich vor!«

Das Mädchen betrachtete die Frau aus zusammengekniffenen schwarzen Samtaugen. »Und dann haben Sie über meine Tapeten gesprochen?«

Die andere nickte und rief tapfer: »Ich sage es Ihnen gleich, ich war dagegen.«

Die Samtaugen wurden zum schmalen schwarzen Strich. »Sie mögen Rot nicht?«

»Ich sagte: ›Rot ist gefährlich. Ich kenne keine Frau, die einen roten Hintergrund verkraften kann. Stell dir vor,‹ sagte ich, ›morgens verkatert am Frühstückstisch und dahinter knallrot!‹ Aber er bestand darauf. Rot passe zu Ihnen, rot sei ideal für Sie, und wenn ich Sie jetzt ansehe . . .« Ein langer, prüfender Blick von oben bis unten. (Rose dachte: Hier sitze ich quittengelb, und hinter mir ist alles knallrot!) »Ich muß schon sagen, wenn ich Sie so ansehe – er hat recht.«

Das Mädchen tastete nach seinem Glas und nahm einen kräftigen Schluck, was es sonst nie tat. Sie haßte diesen Geschmack. Aber vielleicht würde er ihre Nerven beruhigen.

»Sie haben also diese Wohnung mit eingerichtet?«

Die Frau zierte sich. »In gewisser Weise, ja. Wir haben die Möbel ausgesucht.«

»Sie beide zusammen?«

»Wissen Sie, ich versteh' ein bißchen was von Antiquitäten, und wenn er nicht ganz sicher ist, fragt er nach meinem Rat. Ich hoffe, mit Erfolg. Sie fühlen sich doch wohl hier?«

»Doch, doch«, rang sich Rose ab.

»Ich weiß«, sagte die Frau und lächelte zufrieden.

(Wie die feixt, dachte Rose, ob die alle Tassen im Schrank hat?)

»Albert sagte, Sie seien glücklich hier. Ich hab's wissen wollen, schließlich haben wir wochenlang an dieser Wohnung herumgebastelt. Und wir finden beide, daß es bei weitem die hübscheste Wohnung ist, die wir uns jemals für jemanden ausgedacht haben.« (Und wieder dieses plump-vertrauliche Gefeixe, als seien sie beide alte Spießgesellen.) »Ich mußte sie einfach sehen, und deshalb bin ich heute hergekommen. Oh, darf ich mich selbständig machen und meinen Whisky holen, den Sie so freundlich für mich eingeschenkt haben?«

Sie erhob sich und kehrte mit dem vollen Glas zurück. Rose hatte sie gar nicht gehört, sie war mit etwas anderem beschäftigt.

»Verstehe ich das richtig: Sie haben schon mehrere Wohnungen eingerichtet?«

Alberts Frau nahm einen kräftigen Schluck, sah aber etwas enttäuscht drein. »Ja . . . merkt man das dieser Wohnung nicht an? Ich hatte gehofft, man spürt: Aha, hier sind Kenner am Werk! Es ist die sechste, nein, die siebente.«

Rose sprang auf, ihr Glas in der Hand. Es war noch halbvoll, aber sie mußte einfach aufstehen und irgendwohin marschieren. Ihre Beine führten sie zur Anrichte, wenn auch nicht schwingend wie beim erstenmal. Ohne zu wissen, was sie tat, leerte sie ihr Glas in den großen Eisbehälter und goß sich ein neues ein.

Langsam kehrte sie zu ihrem Platz zurück, fühlte die ganze Zeit über den Blick der Frau auf sich. Sie setzte sich sorgfältig, zupfte die gelbe Hose zurecht, dachte: Warte nur, dir bin ich noch lange gewachsen, Bestie. Kaltlächelnd sagte sie: »Albert und Sie, Sie richten also Wohnungen ein für . . .« Nun stockte sie doch.

Aber der weiße Hut nickte, ganz selbstverständlich. »Für seine Freundinnen, ja. Um Himmels willen! Ich sage hoffentlich nicht etwas, was Sie kränkt – oder?«

»Nein, nein«, stotterte Rose, weil ihr nichts anderes einfiel. Alberts Frau lehnte sich bequem im Sessel zurück und sprach zur Zimmerdecke, von ihren Erinnerungen erwärmt: »Ach, wissen Sie, das liegt lange zurück, das sind vergessene Geschichten.«

Rose nippte an ihrem Whisky, obwohl er ihr wie Rattengift schmeckte. Langsam sagte sie: »Erlauben Sie mir eine Frage . . .«

»Nur zu, es gibt nichts zu verbergen.«

»Haben Sie immer gewußt, daß Ihr Mann . . . wenn Ihr Mann sich Freundinnen angeschafft hat?«

Alberts Frau nickte und sagte mit schöner Offenheit: »Ja.«

In Rose begann es langsam zu kochen. »Warum eigentlich?«

»Ach, Gott . . .« Endlich! Endlich war die Frau verlegen und druckste herum, lachte dann etwas verkrampft. »Er sagt es nicht gleich, nein, nein, erst mal bleibt es sein Geheimnis. Aber ein Mann verändert sich total, wenn er ein Geheimnis *genießt*, und bei Albert gehört es nach kurzer Zeit zum vollen Genuß, wenn er darüber sprechen kann. Die längste Zeit, die er's ausgehalten hat, bis er's mir erzählte, war — warten Sie mal — zwei Wochen.«

Rose, ein Bein übers andere geschlagen, bemerkte mit Schrecken, daß das obere gelbe Hosenbein wippte. Männer, die mit dem Bein wippten, wurden von ihr gleich beim ersten Besuch verabschiedet. Und doch, sie fühlte ein unstillbares Verlangen zu wippen, am liebsten wild auszuschlagen. Mit zusammengepreßten Lippen hob sie das schuldige Bein und stellte es zur Strafe parallel neben das andere. »Wie lange«, sagte sie, während sie auch die Füße in den silbernen Pantoffeln ausrichtete, »äh . . . wie lange brauchte er in meinem Fall?«

»Drei Tage. Länger konnte er sein Glück nicht für sich behalten.«

Noch ein Schluck Whisky. Er wärmte einen, kein Zweifel.

»Würde es Ihnen etwas ausmachen, mir zu sagen, was er Ihnen erzählt hat?«

Alberts Frau strahlte. Sie setzte ihr Glas ab, weil sie beide Hände brauchte, um ihre Freude auszudrücken.

»Nicht im geringsten. Er beschrieb sie . . .«

Rose unterbrach sie rauh: »Wie – was beschrieb er?«

»Sie nehmen es ihm doch hoffentlich nicht übel! Es war die aufrichtigste, die vollkommenste Bewunderung, die ihn veranlaßte . . .«

»Mich zu beschreiben?« (Die *war* bekloppt, gar keine Frage.)

»Ja.« Mit stiller Freude.

»Was beschrieb er denn?«

»Etwas, wovon ich mich nun selbst überzeuge: Ihr Aussehen, ich meine Ihr Gesicht, Ihre Figur, Ihre Haare . . .«

»Haben Sie sich oft über mich unterhalten?«

»Ich würde sagen . . . so jeden zweiten Tag. Er forderte meine Kritik heraus . . .«

»Worüber?«

»Nun, über das, was Sie sagten, was Sie dachten oder taten, und wissen Sie . . .« Sie schüttelte lächelnd und wie ungläubig den Kopf. »Zum erstenmal habe ich nichts auszusetzen.«

»Ach wirklich? Nichts auszusetzen?«

»Nein. Das heißt . . .« Sie zögerte. »Doch, ich sag's Ihnen. Wir sind ja schon richtig befreundet, nicht wahr? Also: Die silbernen Pantoffeln da, die passen nicht zu der gelben Hose, da gehören goldene dazu. Ich wundere mich, daß Albert das noch nicht bemerkt hat.«

Rose sah auf ihre parallel ausgerichteten Füße, murmelte: »Goldene . . . – ja. Natürlich. Klar.«

Alberts Frau stand auf. »Ach, ist das schön, daß wir uns einig sind. Ich hab' richtig das Gefühl, etwas beigetragen zu haben . . .«

»Zu Alberts Glück?«

»Genau. Ich hoffe, ich habe Sie nicht zu lange aufgehalten. Albert kommt ja erst um sechs. Er kommt doch um sechs?«

Rose betrachtete immer noch die silbernen Pantoffeln. »Albert? Ja . . . ja, ich glaube . . .«

»Sie gehen ins Theater, ich weiß. Ich habe das Stück schon gesehen. ›Das mußt du ihr zeigen‹, hab' ich zu ihm gesagt. Bin gespannt, wie's Ihnen gefällt. Na, er wird's mir ja erzählen. Recht viel Vergnügen! Es hat mich wahnsinnig gefreut, wirklich.«

Rose hob den Blick. »Ganz meinerseits«, murmelte sie.

»Bleiben Sie nur sitzen, ich finde schon die Tür. Alles Gute – und auf Wiedersehen!«

»Wiedersehen«, flüsterte Rose, aber der weiße Hut war schon verschwunden.

Er schwebte gerade die Treppe hinunter und durch die Haustür auf die Straße hinaus.

Ein paar Häuser weiter wartete ein Auto, und hinter dem Steuer saß ein Mann und hielt Ausschau. Als der weiße Hut auftauchte, beugte er sich über den leeren Sitz neben sich und öffnete die Tür.

Die Frau stieg ein und schnallte den Gurt an, während er sie ängstlich beobachtete.

»Na?« flüsterte er. »Was hat sie gesagt?«

»Alles in Ordnung, Albert.«

»Ich bin sie los?«

»Du bist sie los.«

»Ganz ohne Trara?«

»Ganz ohne Trara.«

Rose stand oben am Fenster und sah, wie ein Auto abfuhr. Es kam ihr bekannt vor.

Ein Gefühl –
nicht mit Geld zu bezahlen

Diese Geschichte liegt Herbert Reinecker besonders am Herzen. Ich glaube sogar, ähnliches ist ihm selber passiert oder seiner Frau oder einem seiner Freunde oder mir oder Ihnen – oder aber, er hat sie nur in der Zeitung gelesen, mindestens dreihundertsechsundfünfzigmal im Jahr.

Der Mann lag im Bett, das Bein in Gips, aufgehängt, das Krankenbett auf bequeme Halblage eingestellt. Das Radio, im Nachttisch eingebaut, spielte nur halblaut, aus Rücksicht auf die Kranken im Nebenzimmer. Aber sein Gehör war nicht mehr das beste – was will man denn auch mit vierundsechzig Jahren! –, und er runzelte vor Anstrengung die Stirn, um zu verstehen, was da gerade angesagt wurde.

Hatte es da nicht geklopft?

»Herein.«

Zuerst erschien ein Blumenstrauß wie eine vorgehaltene Waffe, dann eine Frau in hellem Mantel. Sie schloß die Tür hinter sich, blieb aber zaghaft stehen, als brauche sie Rückendeckung.

Der Mann im Bett setzte sich die Brille auf: Die Augen waren auch nicht mehr, was sie früher waren, und diese elegante Dame kannte er nicht. Vielleicht hatte sie sich in der Nummer geirrt.

»Guten Tag, Herr Franke«, sagte sie zögernd.

Also doch die richtige Tür. Sie trat zwei Schritte näher heran – und er rief: »Sie sind doch . . . nicht wahr? Guten Tag!«

»Ja«, sagte sie schüchtern. »Frau Baumgartner.«

»Richtig! Richtig! Nicht, daß ich Sie wiedererkannt hätte, aber trotzdem, ich wußte sofort: Das ist sie! Obgleich ich ja nicht ganz bei mir war, glaube ich . . .«

23

Sie trat ans Bett – sein Ton hatte ihr Mut gemacht –, hielt ihm den Blumenstrauß hin und versuchte ein Lächeln.

»Ich hab' da nur so eine ungefähre Erinnerung . . . Besten Dank für die Blumen. Wenn Sie sie ins Waschbecken legen wollen, die Schwester bringt mir nachher eine Vase.«

Sie nickte eifrig, legte die Blumen ins Becken. Durch das Geräusch des Wasserhahns hörte sie seine Stimme: »Ich muß mich bei Ihnen entschuldigen.«

Sie fuhr herum und starrte ihn an. »Entschuldigen – Sie?«

»Bei Ihnen und Ihrem Mann. Hat Ihr Mann den Wagen gefahren?«

Sie zögerte mit der Antwort, sah auf die Blumen im Becken, über deren Plastikhülle das Wasser lief.

»Ja, mein Mann hat ihn gefahren«, sagte sie endlich und zerrte an der Folie. Die Schwester würde mit Recht denken, was für eine Schweinerei.

»Ich bin ein Idiot, wissen Sie«, sagte der Mann im Bett und schüttelte lächelnd den Kopf. »Kein Licht am Fahrrad . . . und betrunken . . .«

Sie ließ von den Blumen ab und ging zum Bett, blieb aber am Fußende stehen und umklammerte einen weißen Metallstab mit beiden Händen.

»Ja, man hat uns gesagt, daß Sie – daß man Sie danach gefragt hat.«

»Ich hab's sofort zugegeben. Selbstverständlich. Unser Gendarm, der sagte gleich: ›Sag mal, Erich, hast du getrunken?‹ Und ich sagte: ›Na klar, was denn!‹ Verheimlichen konnte ich das nicht.« Er nahm die Brille ab und lachte aus vollem Halse, wischte sich die Augen. »Ich hatte ja an dem Abend die ganze Dorfkneipe freigehalten.«

Etwas benommen wiederholte sie: »Die ganze Dorfkneipe – ja, warum denn?«

Der Mann ließ sich ein paar Sekunden Zeit, bevor er antwortete. Dann sagte er leise und strahlte über das ganze Gesicht: »Ich hatte meinen ersten Enkel bekommen. Stellen Sie sich vor! Die Kinder waren schon sechs Jahre verheiratet – und nichts passierte. Wissen Sie, ich war schon ganz unruhig, hab' meinen Jungen gefragt: ›Verdammt noch mal, was ist denn los? Ist was, Junge?‹ Und er sagte immer: ›Nichts ist, ich tu, was ich kann.‹«

Er lachte noch einmal, schüttelte selig den Kopf.

Sie versuchte mitzulachen, musterte ihn aber immer noch etwas unsicher.

»Kommen Sie, setzen Sie sich«, sagte er und zeigte auf einen Stuhl. Sie setzte sich gehorsam und blickte ihn an, ein erfrorenes Lächeln auf dem Gesicht. Stille. Nur das Wasser zischte immer noch leise über die Plastikhülle im Becken. Sie stand auf und drehte es zu, kehrte wieder zu ihrem Stuhl zurück.

»Ich finde es nett, daß Sie mich besuchen«, sagte er schließlich, um dem Schweigen ein Ende zu machen. »Und wie gesagt: Entschuldigen Sie vielmals . . .«

Sie unterbrach ihn beinah heftig: »Ich glaube, Sie halten mich zum Narren. Sie haben doch keinen Grund, sich zu entschuldigen!«

»Na, hören Sie mal!« sagte er erstaunt.

Aber sie rief: »Erst mal war das Wetter furchtbar, dicker Nebel . . .«

»Der ist dort immer«, sagte er bedächtig. »An der Ecke – immer! Nasse Wiesen. Daran hätte ich ja wohl denken können, schließlich wohne ich ja hier, und daß da Nebel ist, das weiß ich, seit ich ein Kind war.« Er hielt inne und betrachtete sie, wie sie dasaß und die Finger ineinander verkrampfte. »Ich muß wie'n Gespenst vor Ihnen aufgetaucht sein, was?«

Sie nickte heftig und flüsterte: »Es war ein . . . ein entsetzlicher Anblick. Ganz plötzlich . . . aus dem Nichts . . .«

»Aber ich muß schon sagen, Ihr Mann ist ein guter Fahrer, alle Achtung! Er hat mich hinten erwischt und hat dann wohl den Wagen sofort nach links gerissen.«

Sie hielt eine Hand vor den Mund wie ein Kind und flüsterte: »Ja, wahrscheinlich. Ich weiß einfach nicht mehr . . .«

Franke lachte. »Ich kam mir vor wie eine Rakete. Ich bin glatt zehn Meter durch die Luft geflogen!«

Sie lachte nicht mit, sah ihn entsetzt an.

»Na ja«, meinte er. »Ist ja nicht viel passiert.« Er zeigte auf das Bein. »Sie sehen ja, nur das, weiter nichts, nicht mal 'ne Rippe eingedrückt.«

»Gott sei Dank!«

Er sah, daß sie plötzlich sehr blaß war, und lächelte beruhigend.

»Ihr Mann muß 'n Mordsschreck bekommen haben.«

»Ja, das hat er.«

»Hat mich fliegen sehen, was?«

»Wir haben es beide gesehen. Es sah . . .« Sie holte tief Atem. »Es sah ganz furchtbar aus. Mein Mann schrie: ›Ich habe einen überfahren! Der Mann ist tot, der ist bestimmt tot!‹ Das schrie er, immer wieder . . .«

Franke grinste vergnügt. »Also, so leicht ist das nun wieder nicht! Es dauert lange, bis man in unserer Familie zur Welt kommt, aber es dauert auch lange, bis man uns unter die Erde kriegt.«

Sie sagte nichts, starrte vor sich hin.

Nach einer kurzen Pause fügte er ruhig hinzu: »Ihr Mann ist nicht da?«

»Nein. Das heißt – doch.«

»Ist er draußen?«

Sie schüttelte den Kopf und murmelte: »Er wartet unten.«

Franke studierte sie eingehend. Endlich sagte er – und sein Ton war auf einmal ein ganz anderer – ruhig und fest. »*Sie* haben ihm gesagt, daß er umkehren muß, nicht wahr?«

»Ja«, sagte sie leise und blickte aus dem Fenster in den grauen Winterhimmel.

Er nickte befriedigt. »Hab's mir doch gedacht, jetzt, wenn ich Sie so ansehe. Tja, da lag ich – wie lange ist das jetzt her? Zehn Tage? Da lag ich, rührte mich nicht, dachte: Na, da hat's dich aber ganz schön erwischt. Und schau mich um – und seh' nichts, seh' den Wagen nicht mehr. Menschenskind, dachte ich, das gibt's doch nicht, der ist doch glatt weitergefahren.«

Die Frau wandte ihm wieder den Blick zu und sagte leise: »Ja. Er ist weitergefahren.«

»In heller Aufregung, was?«

Sie schloß die Augen, fuhr sich mit der Hand über die Stirn und flüsterte: »Ich kann Ihnen gar nicht beschreiben, wie aufgeregt er war.« Sie stockte, schluckte, schüttelte hilflos den Kopf.

»Ich kann's mir vorstellen.«

»Er rief nur immer wieder: ›Halten hat gar keinen Zweck. Für den Mann kann man nichts mehr tun, der ist tot! Keinen Zweck! Der ist tot!‹«

»Wissen Sie, daß meine Uhr nicht kaputtgegangen ist? Mit Leuchtzifferblatt. Da liegt sie, auf dem Nachttisch. Und meine Brille saß mir auch noch auf der Nase, verrückt, was? Ich schaute immer wieder auf die Uhr, dachte mir, der kommt doch zurück – oder? Und dann bekam ich's mit der Angst, daß ein anderes Auto vorbeirasen würde und mich nicht sehen, wie ich da lag, im Nebel.«

»O Gott«, sagte sie tonlos.

»Es hat 'ne Ewigkeit gedauert, bis ich was hörte – na ja, und dann kam ein Wagen, Ihrer, Gott sei Dank! Eine halbe Stunde hat's schon gedauert . . .«

Sie nickte heftig.

»Warum sind Sie eigentlich zurückgekommen?« Rein sachlich interessiert.

»Mir war klar«, sagte sie mühsam, »daß ich – daß ich im Leben keine ruhige Minute mehr haben würde . . .«

»Ach wo«, sagte er lächelnd. »Sie hätten am nächsten Morgen in der Zeitung gelesen, daß ich erstens ein besoffener Radfahrer war, und daß ich zweitens kein Licht am Rad hatte, und daß ich drittens lebe.«

»Ja«, sagte sie, »natürlich hätte mich das beruhigt, das hätte wenigstens das Schlimmste aus dem Weg geräumt. Aber das wäre nicht das einzige gewesen, auf das es mir ankam: Wir hätten etwas falsch gemacht –« sie sah ihn mit beschwörendem Blick an –, »etwas, was wir nie im Leben hätten wieder in Ordnung bringen können.«

»Na, na, na«, murmelte er und grinste ein bißchen. »Sie können ziemlich hartnäckig sein, was?«

»Es hat trotzdem zwanzig Minuten gedauert, bis er umgekehrt ist.«

»Zwanzig Minuten. Also, wissen Sie, das ist keine zu lange Zeit, wenn man so unter Schock steht.«

Sie antwortete nicht, aber ihre Augen wurden hart.

»Und – wie haben Sie ihn denn dazu gebracht, daß er schließlich doch umkehrte?«

Sie schwieg, schüttelte nur einmal den Kopf.

»Ich kann's mir denken«, meinte er. »Und da hat er's mit der Angst bekommen, was? Na ja, er hat auch gleich die Polizei und den Arzt geholt . . .«

Sie sagte leise: »Und Sie haben denen nichts gesagt – mit keinem Wort haben Sie erwähnt, daß wir Sie eine halbe Stunde liegengelassen haben! Warum eigentlich nicht?«

Er lächelte vor sich hin, zuckte mit den Achseln.

»Nein, nein«, beharrte sie. »Ich möchte das unbedingt wissen. Warum haben Sie nichts gesagt?«

»Ach Gott«, murmelte er. »Warum, warum – ist das so wichtig?«

»Ja.«

»Ich sag's ungern.«

»Sagen Sie's trotzdem. Bitte.«

Er atmete tief ein und klopfte nachdenklich auf seinem Gips-
bein herum. Endlich sagte er: »Als Ihr Mann losfuhr, um die
Polizei zu holen, da sind Sie doch bei mir geblieben . . .«

»Ja.«

»Sie haben sich auf die Erde gesetzt. Sie haben sich dort am
Straßenrand auf die schmutzige, nasse Erde gesetzt in Ihrem
schönen Mantel und meinen Kopf in Ihrem Schoß gehalten –
und Sie haben geweint.«

»Woher wissen Sie das?«

»Weil mir Ihre Tränen aufs Gesicht tropften, noch ganz
warm. Ich hatte irre Schmerzen, es fing überhaupt erst so
richtig an, überall . . . und trotzdem hatte ich gleichzeitig
ein . . . ein Gefühl, das ich Ihnen nicht beschreiben kann:
Umarmt zu sein von einem Menschen, den man nicht
kennt . . . und der weint um einen, den er nicht kennt. Deswegen hab' ich nichts gesagt.«

Unten im Wartezimmer saß ganz allein ein Mann. Er hatte
trotz der Wärme seinen Mantel nicht ausgezogen, blätterte
mechanisch in einer Zeitschrift, aber seine Augen waren auf
die Tür gerichtet. Jetzt öffnete sie sich.

Er sprang auf, lief auf die Frau zu und rief: »Endlich! Warum
hat's so lange gedauert? Na? Was hat er gesagt? Wird er bei
der Verhandlung nichts sagen? Nun erzähl schon! Hast du
ihm das Geld gegeben?«

Sie öffnete wortlos ihre Handtasche, nahm ein paar Geldscheine heraus und gab sie ihm.

»Nicht nötig«, sagte sie und vermied es, ihn anzusehen.

»Wie willst du das wissen?«

»Ein Gefühl«, sagte sie ruhig.

»Ein Gefühl? Was für ein Gefühl?« drängte er hilflos.

»Ein Gefühl – nicht mit Geld zu bezahlen«, sagte sie und ging an ihm vorbei zur Tür.

Die Auktion

Diese Geschichte hätte mir passieren können, bei meiner Leidenschaft für Auktionen. Und was Brigitte hier an Späßen treibt, das trieb auch ich, häufig – und unbestraft. Aber ganz ungeschoren blieb ich dabei nicht: Einmal erbeutete ich ein kleines Gemälde von Guardi, die »Piazza San Marco« in Venedig, bei einer Auktion in der berühmten Parke-Bernet-Galerie in New York. Ich war direkt von meiner Matinee am Broadway hingeeilt und hatte noch die falschen Augenwimpern angeklebt. Mit diesen klimperte ich dem Auktionator so beschwörend entgegen, daß er den Hammer bei dreieinhalbtausend Dollar mit überraschender Eile herabsausen ließ.

Und so wurde ich stolze Besitzerin eines Guardi.

Später, wie das so geht im Leben, befand ich mich eines Tages in London – und in Geldnöten. Traurig trug ich meinen Guardi zu Sotheby, der größten europäischen Auktionsfirma . . . und verließ das Gebäude noch trauriger, denn man eröffnete mir, daß mein Guardi eine Fälschung war.

Gebrochen wankte ich zu meinem alten Freund Erich Maria Remarque, eine Koryphäe der Kunstgeschichte und Quelle der Weisheit und des guten Rates. »Schick das Ding zurück zu Parke-Bernet in New York. Die haben es dir als echten Guardi verkauft, die müssen ihn auch wieder als solchen zurücknehmen.«

Der Guardi flog nach New York, und die Galerie erstattete mir den Kaufpreis anstandslos zurück.
Bei der nächsten Auktion wurde er dann von einem anderen seligen Idioten erstanden – diesmal für achttausend Dollar.

Am Wochenende machte sich's Brigitte immer leicht mit dem Essen: nur Kaltes, und Obst anstelle des Nachtischs. Georg schälte sich dann einen Apfel und tat, als wüßte er nicht, daß die ganze Familie ihm dabei zusah. Sein Apfelschälen war eine Meisterleistung. Alle schwiegen und schauten andächtig zu, wie die dunkelrote Apfelschale lang und länger wurde und sich liebevoll um seine messerbewaffnete Hand wand, bis er am Stiel angelangt war und die Schlange mit elegantem Schwung auf den Teller fallen ließ.

»Bravo!« kam es von allen Seiten, aber diesmal erstickte er den Applaus mit erhobener Hand, hob den nackten Apfel hoch und roch an ihm.

»Zwiebel«, sagte er verächtlich. »Kein Wunder. Seht euch das Messer an! Damit muß ich Obst schälen.«

»Wir haben nur noch drei Obstmesser«, stellte Brigitte ungerührt fest. »Heute hast du das Küchenmesser erwischt. Sonst bekomm' ich's immer. Wir brauchen neue Obstmesser, ich hab's dir schon ein paarmal gesagt.«

»Und wie willst du das finanzieren?«

»Die werden ganz billig sein, ich hab' nämlich welche gesehen, einen ganzen Satz silberne; zwölf Stück, im Schaufenster beim ›Auktionshaus Möller‹. Nächsten Montag fängt die Halbjahresversteigerung an – und da werde ich im Saal sitzen und mitbieten.«

»Bravo«, sagte Horst anerkennend. Für ihn war alles, was seine Mutter tat, bewundernswert.

Georg war weniger begeistert. »Setz dir aber eine obere Grenze, wenn ich bitten darf.«

»Klar«, sagte Brigitte empört. »Meinst du etwa, ich gehe da hin, ohne zu wissen, wieviel ich ausgeben will?«

»Und was ist deine obere Grenze?«

»Äh – hundertfünfzig Mark. Allerhöchstens hundertachtzig, keinen Pfennig mehr. Deshalb geht man schließlich zur Auktion und nicht in einen Laden, damit man billig zum Zug kommt. Klarer Fall.«

Horst sah sie verklärt an. »Darf ich mit? Ich war noch nie auf einer Auktion.«

»Gute Idee«, sagte Georg schnell. »Geh mit, und halt sie zurück! Du weißt ja, deine Mutter ist . . .«

»Georg!« sagte Brigitte warnend.

»Deine Mutter ist temperamentvoll, nennen wir es so, ja? Wie ein Rennpferd . . .«

»Georg!«

» . . . das keine Konkurrenz duldet. Ich kenne sie. Sitz an meiner Stelle neben ihr und halt sie fest – ich muß leider einen Vortrag halten Montag früh. Du hast das Abitur und daher mein Vertrauen.«

»Ich habe dir mein Wort gegeben«, sagte Brigitte beleidigt. »Das ist wie der Felsen von Gibraltar.«

»Gibraltar!« murmelte Georg, hob sein Glas und trank ihr zu.

Montag früh, eine Viertelstunde vor Auktionsbeginn, drängte sich Brigitte durch die Menge, einen Katalog in der Hand; Horst dicht hinter sich. Rechts und links standen Möbel, Bilder, Silberwaren auf langen Tischen und dahinter Angestellte, lässig lauernd.

Sie hatte ihr neues Hellblaues an. »Man muß auffallen, von

Anfang an. Weißt du, daß die Königin von England in der Öffentlichkeit nie etwas Dunkles tragen darf? Weil man sie sofort erkennen soll. Darum. Und der Auktionator soll die ganze Zeit über wissen: Da sitzt die in Hellblau – und jetzt hebt sie den Finger.«

»Den Finger?«

»Manche heben nur die Augenbrauen, und da weiß er schon Bescheid. Das sind die ganz Gerissenen.« Sie musterte die Leute, als wolle sie jemand Gerissenen ausfindig machen. »Dein Vater hat ja keine Ahnung, was eine Auktion ist. Das ist eine lebendige Sache! Man muß sie nur beherrschen – wie ein Instrument, verstehst du? Natürlich, ein *Gespür* muß man selbstverständlich dafür haben.«

»Aber – du willst doch was kaufen, oder?«

»Kaufen! Jeder Mensch kann kaufen. *Ersteigern* – das ist was ganz anderes. Das ist wie ein Duell, mit Siegern und Verlierern.«

Horst sah seine Mutter andächtig an. Er hatte nicht den geringsten Zweifel, wer der Sieger sein würde.

»Siehst du, die stellen hier alles hin, damit man sich's noch mal ansehen und den Schlachtplan zurechtlegen kann. Da drüben sind die Silbersachen. Komm!« Sie zog ihn mit sich, blieb aber auf halbem Weg stehen. »Die Gemälde! Schön, was? Sieh mal das kleine da in dem tollen Rahmen! Was ist denn das?« Sie blätterte im Katalog. »Nummer achtzehn . . . hier: ›Rembrandt van Rijn. Detail aus Landschaftsskizze.‹ Was sagst du dazu? Hast du schon mal einen echten Rembrandt gesehen? Winzig, aber immerhin. Rat mal, was der kostet. Fünfunddreißigtausend Mark ist der Schätzwert.« Sie beugte sich vor . . .

»Sie da! Nicht anfassen!« Einer von den lässigen Angestellten war plötzlich aufgewacht.

Brigitte fand die rauhe Anrede aufregend. »Toll, was? Ich darf

das Ding nicht mal in die Hand nehmen, so kostbar ist es.«
Sie seufzte selig. »Jetzt stell dir vor, man hat so was in der
Wohnung über dem Kamin hängen . . .«
»Mutter . . .«, sagte Horst vorsichtig.
Lachend küßte sie ihn auf die Wange. »Keine Angst. Ich hab'
ja nur hundertachtzig Mark bei mir. Komm, wir gehen zum
Silber. Wo sind denn nun meine Obstmesser – ah, da ganz
hinten, siehst du sie?«
»Ich seh' sie«, sagte Horst. »Hoffentlich sind sie scharf.«
Aus dem Lautsprecher ertönte eine Stimme. »Meine Damen
und Herren, wollen Sie bitte Platz nehmen. Wir beginnen
mit der Nummer eins im Katalog.«
Die Gemälde kamen zuerst dran. Brigitte und Horst in der
vierten Reihe hielten den Katalog gemeinsam (er hatte zehn
Mark gekostet) und studierten eifrig die jeweilige Beschreibung und dann das Bild, das oben auf dem Podium von zwei
jungen Männern auf einem Sockel dargeboten wurde.
Angebote und Gegenangebote kamen laut und schnell aus allen Ecken des Saales, bis sie bei einer gewissen Summe stek-
kenblieben. Dann verschwand jedesmal das zerstreut-einge-
frorene Lächeln des Auktionators mit einem Schlag und verwandelte sich in einen Ausdruck mühsam zurückgehaltener
Spannung. Er ließ seine schläfrigen Augen auf einmal wie die
eines Adlers durch den Saal flitzen, und seine gelangweilte
Stimme wurde stakkato-präzis: »Siebentausend sind geboten
– höre ich siebentausendfünfhundert – Nein? – Doch! Aha.
Siebentausendfünfhundert also. – Höre ich achttausend? –
Nein?«
»Warum sagt er eigentlich immer ›höre ich‹? Es sagt doch
jetzt kein Mensch mehr was«, flüsterte Horst.
»Ssssttt!« zischte Brigitte. »Jetzt kommen die Gerissenen
dran, die rufen doch nicht.«
»Achttausend? – Na?«

Stille. Die Augen oben zuckten in Riesensprüngen von einer Seite zur anderen. Dann, erst grollend, aber gleich darauf gespielt gleichgültig: »Also, dann eben achttausend zum ersten, achttausend zum zweiten . . .« noch eine letzte hochdramatische Pause, nun aber resolut und beinah verächtlich, als sei die ganze Angelegenheit im Mülleimer: » . . . achttausend zum dritten. Nächste Nummer bitte.«

»Aufregend, was?« flüsterte Brigitte wie in Trance. »Mir ist jedesmal . . . als wär' ich bei einer Exekution. Begnadigt? Ja? Nein? Kommt ein Bote vom König auf weißem Roß? Kein Aas zu sehen – also: Kopf ab, der nächste bitte.«

»Toll«, sagte Horst hingerissen.

Nach dem ersten Dutzend Katalognummern kannte sich Brigitte aus – meinte sie. »Sieh mal den da drüben, mit der Brille und der roten Nelke in der Hand – paß auf, wie der nur einmal leicht mit der Nelke wedelt, und das heißt, er hat geboten. Und da in der dritten Reihe links, der mit den grauen Haaren, mit dem Bürstenschnitt. Er bietet gegen die rote Nelke, indem er seinen Katalog hochhebt. Die Gegner formieren sich schon. Das sind sicher Händler, alle auf die gleichen Sachen scharf.«

Oben auf dem Podium wurde jetzt Nummer fünfzehn vorgestellt, eine Picasso-Grafik. Man war bei sechstausend Mark angelangt, die Angebote kamen schnell von allen Seiten. Plötzlich sah Horst, daß Brigitte den Zeigefinger der rechten Hand hochhielt – und sich gleich darauf die Stirn kratzte, als jucke sie etwas. Der Auktionator warf ihr einen flüchtigen Blick zu, und Horst beruhigte sich wieder.

Aber gleich darauf – man war inzwischen schon bei siebentausendfünfhundert – hielt sie wieder den Zeigefinger hoch, und der Auktionator sagte: »Achttausend.«

»Großer Gott, Mutter«, flüsterte der junge Mann. »Was machst du denn da?«

»Ach, sei kein Frosch«, sagte Brigitte. »Ich mach' doch nur Spaß.«

»Achttausendfünfhundert . . . neuntausend«, kam es vom Podium.

»Siehst du? Ich bin längst ausgelöscht. Keine Angst, ich kenne dieses Spiel, ich weiß, wenn's brenzlig wird.«

»Wie willst du das denn so genau beurteilen?«

»Gespür!« sagte Brigitte, ohne die Augen vom Podium abzuwenden. »Sechster Sinn. Dein Vater hat das nicht. Er hat viel, weiß Gott, und ich liebe ihn wie am ersten Tag – aber ein Gespür für solche Schwingungen, das hat er nicht. Stör mich jetzt nicht! Ich muß aufpassen.«

Die Picasso-Grafik brachte vierzehntausend Mark. Das nächste Stück war eine Guardi-Skizze vom Markusplatz in Venedig.

»Siehst du, bei so was fängt's überhaupt erst bei zehntausend an. Schau mal den da vorn mit dem karierten Jackett, der so laut ruft – der blufft nur, da fress' ich 'nen Besen. Amateur!« Sie hielt den Zeigefinger hoch.

»Sechzehntausendfünfhundert«, sagte der Auktionator und gähnte beinah. Dann gleich weiter: »Siebzehntausend . . . siebzehntausendfünfhundert.«

»Mutter! Hör doch auf damit! Ich halt's nicht mehr aus – mir ist übel! Ich – ich geh' nach Hause . . .«

»Spielverderber. Na, dann geh doch! Los! Angsthase.«

»Ich soll dich zurückhalten, hat Vater gesagt . . .«

»Versuch's doch«, sagte Brigitte und hielt den Zeigefinger nur noch ein wenig hoch, aber der Auktionator sah es.

»Einundzwanzigtausendfünfhundert«, rief er gelangweilt. Horst schloß die Augen. »Ohgottohgott . . .«

»Zweiundzwanzigtausend«, ging es oben weiter. Horst drückte beide Hände auf den Magen und stöhnte leise.

»Hätt' ich dich bloß nicht mitgenommen!« sagte seine Mutter

ungerührt. »Paß auf: Der mit der Brille wird's kriegen – ich setz' auf die Brille.«

Bei sechsundzwanzigtausend verlangsamte sich das Bieten zusehends. Der Auktionator verwandelte sich wieder in einen Adler, der mit der Brille wedelte, während die graue Bürste den Katalog hob. Und dann senkte sich die endgültige Stille wie eine elektrisch geladene Gewitterwolke über den Saal.

Die Brille blickte auf die Nelke, seufzte einmal und wedelte dann, ganz wenig, aber immerhin.

»Dreißigtausend zum letzten. Nächste Nummer, bitte.«

»Was hab' ich gesagt?« Brigitte blickte ihren Sohn triumphierend an. »Ich kenn' mich aus, stimmt's? Ja oder nein?«

»Ja«, sagte Horst halb bewundernd, halb beklommen. »Wann kommen denn deine Silbermesser?«

»Das Kleinvieh kommt zum Schluß. Ach«, sie seufzte tief, »ich hätte bei dem Guardi noch ein halb dutzendmal bieten können – stell dir vor: dreiundzwanzigtausend . . . vierundzwanzigtausend . . . wie das schon klingt.«

»Mutter . . .«

»Wehe, du störst mich jetzt. Da kommt der Rembrandt!«

Das Angebot begann mit zwanzigtausend. Bei fünfundzwanzigtausend hob Brigitte zum erstenmal lässig den Zeigefinger.

»Mutter! Ich flehe dich an . . .«

Sie würdigte ihn keines Blickes und hob nun jedesmal regelmäßig den Finger. Ihre Angebote gingen unter den vielen anderen unter, und der Auktionator sah sie nicht ein einziges Mal an. Nach vierzigtausend verlangsamte es sich etwas. Jetzt boten nur noch rund ein halbes Dutzend Leute mit, darunter die Brille und die Bürste – und Brigitte.

»Mutter! Ich halt's nicht mehr aus . . . Ich muß mal raus!«

»Na, dann geh doch, Memme.«

»Siebenundvierzigtausend . . .«

»Aufregend, was?« Zeigefinger hoch.

»Siebenundvierzigtausendfünfhundert . . .«

Stille.

»Mutter . . .«, hauchte Horst.

»Siebenundvierzigtausendfünfhundert zum ersten . . .«

»Na?« sagte Brigitte leise und sah sich um. »Was soll denn das! Der will sicher jemand auf Trab bringen . . .«

»Siebenundvierzigtausendfünfhundert zum zweiten . . .«

Die Nelke stand still, der Katalog ruhte. Die letzte dramatische Pause – Brigitte starrte wie gelähmt auf den Auktionator. »Siebenundvierzigtausendfünfhundert zum dritten. Nächste Nummer, bitte.«

Horst schnellte hoch, murmelte: »'tschuldigung . . .«, drückte sich eilig durch die Reihe und lief dann in Richtung »Telefon und Toiletten«.

Brigitte war sitzen geblieben und starrte abwechselnd hinauf zum Podium und hinunter auf ihren Katalog. Aber sie sah weder das eine noch das andere. Sie hörte auch nichts, bis ihr Nachbar ihre Hand packte und heftig schüttelte: »Gratuliere, gnädige Frau, das war ja wirklich eine Überraschung!« Auch hinter ihr ertönten gedämpfte Bravorufe, und vor ihr drehten sich Köpfe um, um sie anzustaunen.

Sie saß wie aus Stein, unfähig, sich zu rühren. Oben ging die Auktion weiter, ein anderes Gemälde, die Angebote schwirrten – sie war längst überholt, vergessen. Langsam kam sie zu sich und flüsterte, immer noch wie betäubt: »Einen Moment, ich – nein, nein, das ist ein . . . Ich bin da mißverstanden worden . . . Ich wollte gar nicht . . .«

Niemand hörte sie.

Schwankend stand sie auf und stolperte durch die Reihe, strebte blind zur Saaltür – und traf auf Horst, der auf sie zugerannt kam. Sie hielt sich an ihm fest.

»Sag nichts. Ich muß mich irgendwo hinsetzen – irgendwo, wo mich niemand sieht . . .«

»Gehen wir doch nach Hause, Mutter!«

»Nach Hause?« Sie lächelte schwach. »Du hast ja keine Ahnung, du armes Kind. Die lassen einen doch nicht weg, bis man einen Scheck abgegeben hat. Da hinten, am Ausgang, siehst du? Da sitzen sie und warten auf mich.«

»Meine Schuld«, stammelte der Junge. »Ich sollte dich doch zurückhalten.«

Brigitte sah ihn an und spürte endlich ein Gefühl, eine große Zärtlichkeit, in sich aufsteigen. Sie streichelte seine Wange, ließ sich von ihm durch die Saaltür in einen Vorraum führen. Dort gab es eine Sitzecke.

»Möchtest du einen Kaffee? Oder besser einen Cognac?«

»Nichts«, murmelte sie. »Bleib bei mir, laß mich nicht allein – solange das noch möglich ist. Ich muß vielleicht direkt von hier ins Gefängnis.«

»O Gott!«

»Ich hab' einfach nicht aufgepaßt, bin drauflos gerast . . .«

»Vielleicht nehmen sie's zurück?«

»Zurücknehmen? Die? Das ist rechtsverbindlich.« Sie hob den Kopf und sagte laut in die Luft: »Ich habe für siebenundvierzigtausendfünfhundert Mark einen Rembrandt gekauft. Ich bin wahnsinnig . . .« Sie stockte, und ihre Augen belebten sich. »Du – das wäre vielleicht ein Ausweg: Dein Vater erklärt mich für unzurechnungsfähig, und dann weist er mich ein, in die Klapsmühle. Gott, wär' das schön!«

»Kann ich mitkommen?« bat Horst mit schwacher Stimme. »Ich glaube, da gehöre ich jetzt auch hin.«

»Wie bring' ich das deinem Vater bei?« Sie atmete ein paarmal heftig ein und aus. »Ruf ihn an – nein! Besser, du fährst schnell hin, du weißt ja, wo er ist. Sag ihm, was passiert ist . . . er muß sofort herkommen . . . Ich darf hier nicht weg, bevor ich einen Scheck über . . .« Sie konnte die Zahl nicht noch einmal aussprechen. »Horst, erzähl ihm – erzähl ihm, ich hätte dir gesagt, ich bring' mich um. Wenn er dann kommt, und ich bin noch da – dann freut er sich. Vielleicht«, fügte sie verloren hinzu.

»Ich hol' ihn sofort, Mutter. Wein doch nicht!«

»Oder besser, du sagst ihm . . .«

Aber Horst war schon weg, und sie sank wieder in sich zusammen. Auf der gegenüberliegenden Seite der Vorhalle öffnete sich eine Tür mit der Aufschrift BÜRO, und ein Herr kam auf sie zu, einige Formulare in der Hand.

»Können wir jetzt die Formalitäten erledigen, gnädige Frau? Sie sind uns leider nicht bekannt. Ihr Name, bitte?«

»Ja. Ja, natürlich . . .«

In diesem Augenblick trat ein Mann aus dem Auktionssaal und näherte sich ihnen mit schnellen Schritten.

»Einen Moment, Herr Gilke, ja?«

»Aber natürlich, Mr. Bingham«, sagte der Herr mit den Formularen devot.

»Ich möchte mit der Dame gern ein paar Worte sprechen.« Man merkte nur am gerollten R, daß er Ausländer war.

»Selbstverständlich, Mr. Bingham.« Herr Gilke drehte sich auf dem Absatz um und verschwand in seinem Büro.

»Gestatten Sie, Madame?«

Mr. Bingham setzte sich neben sie und zog eine rote Nelke durch sein Knopfloch. Der Mann mit der Brille! Sie betrachtete ihn voller Haß. Der hatte sie im Stich gelassen, der und die graue Bürste. Einfach gekniffen hatten sie, plötzlich aufgegeben – und nun saß sie da mit dem gewaschenen Hals . . .

Der Mann räusperte sich, beugte sich vor und sagte leise und eindringlich: »Wir kennen uns, nicht wahr?«

Frechheit so was! Jetzt war wahrhaftig nicht der Moment, sie so anzuquatschen.

Der Mann wiederholte leise und beschwörend: »Sie wissen doch, wer ich bin, nicht wahr, Madame?«

»Keine Ahnung«, sagte sie eisig.

»Bingham«, buchstabierte er deutlich. »London! Jetzt wissen Sie's, nicht wahr? Ich bin extra wegen diesem Rembrandt gekommen.«

»Ja?« Verdammter Kerl. Warum hatte er sie dann in der Patsche sitzen lassen?

»Sie sind von Guggenheim, stimmt's?«

»Quatsch«, sagte Brigitte ungnädig. »Ich bin aus Hamburg.«

»Madame, Sie sind doch die neue Vertreterin von Guggenheim für Deutschland, nicht wahr? Man hat mir von Ihnen erzählt.«

Brigitte starrte ihn weniger abweisend, dafür aber verständnislos an.

»Irre ich mich? Nicht Guggenheim? Für wen haben Sie den Rembrandt gekauft? Kunsthistorisches Museum Wien?« Und dann, etwas grob: »Doch wohl nicht für Sie selbst!« Er sah sich um, flüsterte dann leise: »Für *wen* kaufen Sie?«

Sie wachte auf und sagte mit heiserer Stimme: »Mein Name ist Schwartz. Ich bin . . .« sie räusperte sich heftig, » . . . ich bin Hausfrau.«

»Lassen Sie die Scherze, Madame! Ich habe Sie die ganze Zeit über beobachtet und mir gedacht: Aha, das ist die Neue von Guggenheim. Sie haben fast bei jeder Nummer mitgeboten, doch wohl kaum für Ihre Wohnung, nicht wahr? Bei dem Rembrandt habe ich aufgehört . . .«

Brigitte unterbrach ihn heftig: »Ja, warum? Warum haben Sie plötzlich aufgehört?«

»Das wissen Sie ganz genau, der Preis war ja erreicht, siebenundvierzigtausendfünfhundert Mark. Darüber hinaus hat doch nur der Auktionator was davon. Ach – sind Sie vielleicht vom Staatlichen Museum Ost-Berlin? Na schön, wenn

Sie's mir durchaus nicht sagen wollen, bitte. Wir können uns auch so einigen.«

Sie beäugte ihn mißtrauisch. »Wie meinen Sie das?«

Mr. Bingham wurde die Sache allmählich zu dumm.

»Also wissen Sie! Es wird Ihnen doch wohl nichts Neues sein – ich meine, wir beide allein können doch unsere gegenseitigen Interessen besser – äh – abstecken, nicht wahr?«

Sie wiederholte mit offenem Mund: »Abstecken?«

Bingham wurde nervös und sah auf die Uhr. Er versäumte da einige wichtige Nummern . . .

»Sie *haben* ihn ja, Madame, wenn Sie ihn unbedingt wollen! Aber ich mache Ihnen ein Angebot – für meinen Londoner Kunden. Mir liegt daran, diesen Kunden gut zu bedienen. Er hat eine Rembrandt-Sammlung. Sie können sich vielleicht denken, wer es ist.« Er machte eine bedeutsame Pause, und Brigitte, ahnungslos, bemühte sich, undurchdringlich dreinzuschauen. »Also: Die Hälfte meiner Provision für Sie, das sind – äh – zwotausenddreihundertfünfzig Mark. Okay?«

»Zweitausenddreihundertfünfzig . . .«

»Mehr ist nicht drin, das wissen Sie ganz genau.«

Vielleicht bin ich wirklich geistesgestört, dachte Brigitte. Der bot ihr Geld an? Wofür?

»Das sind fünfzig Prozent, Madame. Mehr können Sie wirklich nicht erwarten!«

Brigitte begriff langsam – oder vielleicht doch nicht? Am besten war's wahrscheinlich, sich den Mann vom Leib zu halten. »Nein, nein – so was ist kein Geschäft für mich.«

Mr. Bingham setzte sich kerzengerade auf und zischte: »Jetzt werden Sie unverschämt.«

Oh – es tat ihr direkt gut, jemanden anschreien zu dürfen: »Unverschämt? Wer ist hier unverschämt?«

»Ja, was ist denn für Sie ein Geschäft?« Aber bevor sie noch eine Antwort finden konnte, lenkte er ein. »Entschuldigen Sie, aber es ist mein erster Auftrag von diesem Londoner Kunden. Also bitte, ich mache Ihnen folgenden Vorschlag: Sie überlassen mir das Bild für siebenundvierzigtausendfünfhundert Mark, und von mir bekommen Sie – na, sagen wir dreitausend . . .«, er räusperte sich, » . . . auf die Hand natürlich.«

Er zog seine Brieftasche heraus und zählte ein paar Scheine auf den Tisch. »Tausend, zwotausend, zwofünf, drei. So.« Brigitte saß da und starrte ihn an. Er packte die Scheine und drückte sie ihr in die Hand.

»Okay, Madame?« Und als sie immer noch nichts sagte, fügte er langsam und drohend hinzu: »*Mehr ist nicht drin*, verstanden?«

»Verstanden«, flüsterte sie, und ihr Finger klammerten sich langsam um die Scheine.

»Na, endlich. Also – ich gehe jetzt ins Büro und sage Gilke Bescheid. Das ist nichts Neues für den, schließlich haben Sie ja noch nichts unterschrieben. Okay, Madame?«

»Okay.«

Er stand auf, sah sie noch einmal forschend an und dachte, während er zum Büro hinüberging: Ob die nun für Guggenheim arbeitet oder für sonst wen, das ist eine ganz Gerissene.

Brigitte betrachtete die Scheine in ihrer Hand. Sie zählte sie: dreitausend. Dann zählte sie sie noch einmal, und dann noch einmal und noch ein letztes Mal. Jetzt glaubte sie's endlich – und stopfte sie mit zitternden Händen in ihre Tasche.

Eine halbe Stunde später, als Georg und Horst in wilder Hast durch die Tür zum Vorraum stürzten, saß sie noch am selben Platz und hielt ihre Tasche fest auf dem Schoß.

Georg fand erst seine Stimme wieder, als er dicht vor ihr stand.

»Brigitte!« stieß er schweratmend hervor.

Sie blickte hoch und sah von einem zum anderen, lächelnd, als freue sie sich, die beiden zu sehen.

Sie hat wahrhaftig den Verstand verloren, dachte Horst, ohgottohgott . . .

Georg rang noch nach Atem. Er war den ganzen Weg gelaufen, Horst neben ihm, der ihn fast unter Tränen bekniet hatte, milde zu sein und daran zu denken, daß sie ja nun genug bestraft sei, Irrenanstalt oder gar Gefängnis . . .

»Brigitte!« Und dann brach es doch aus ihm heraus: »Ja, bist du denn von allen guten Geistern verlassen! Horst sagt mir – er sagt mir, du hast für fast fünfzigtausend Mark ein Bild gekauft?«

Brigitte nickte zufrieden. »Für siebenundvierzigtausendfünfhundert. Einen Rembrandt! So gut wie geschenkt.«

Milde, dachte Georg, da sei einer mal milde! Keine Spur von Reue, von Gewissensbissen! Sprachlos stand er vor ihr, während sie zu ihm hinauflächelte, unschuldig, sonnig.

»Hörst du mich überhaupt, Brigitte? Bist du dir darüber klar, was du angerichtet hast – und was jetzt geschehen wird?«

Sie nickte eifrig und strahlte von einem zum anderen: »Ja, ich hab' schon Pläne gemacht: Wir machen Ostern eine kleine Reise nach den Kanarischen Inseln, Georg, du und ich.«

»Vater«, beschwor ihn Horst mit gefalteten Händen. »Du siehst doch, sie weiß nicht, was sie spricht. Vielleicht ist das gut, mildernde Umstände, weil sie plötzlich . . . weggetreten ist.«

»Weggetreten?« wiederholte Brigitte und öffnete ihre Tasche. »Wenn, dann bin ich in etwas sehr Gutes getreten. Seht mal, hier!« Sie hielt die Scheine hoch. »Dreitausend Mark. Ich hab' nämlich den Rembrandt wieder verkauft, dachte mir, na, vielleicht ist es doch besser. Mit Profit natürlich, was denn sonst.«

Georg besah sich die Scheine. Sie waren echt. Der Junge flüsterte fassungslos: »Wie hast du das bloß gemacht?«

»Gespür«, sagte sie lässig lächelnd, stand auf und legte die Arme um ihren Mann. »Du, zehn Minuten lang hat mir ein Rembrandt gehört! Aber ich dachte, die Kanarischen Inseln sind vielleicht *noch* schöner. Was meinst du?«

Georg erlaubte ihr, ihn zu umarmen, und sagte nur: »Ich verstehe überhaupt nichts mehr, und ich glaube dir kein Wort. Aber schwör mir eins: Du gehst nie wieder zu einer Auktion!«

»Ich schwöre es«, sagte sie und küßte ihn mit Inbrunst. »Nie wieder.«

Die Tür des Auktionssaals öffnete sich, ein paar Leute kamen heraus. Die Stimme des Auktionators ertönte aus dem Lautsprecher:

»Meine Damen und Herren, wir kommen jetzt zu den Silbersachen . . .«

»Meine Obstmesser!« schrie Brigitte und stürzte davon.

Herr Müller

Der amerikanische Film »The Counterfeit Traitor«, in Deutschland »Verrat auf Befehl«, gehört drüben zu jenen sogenannten Klassikern, die immer wieder spät nachts im Fernsehen gezeigt werden. Ich spielte darin als Partnerin von William Holden eine deutsche Widerstandskämpferin, die zum Schluß in einer realistischen und daher grausigen Szene umgebracht wird. So was sieht man gern nachts, gemütlich im warmen Bett. (Die Kinder in meiner Familie allerdings waren zum Teil so verstört, daß sie mich anriefen, um ganz sicher zu sein, daß ich noch da war.)

Gleich zu Anfang der Dreharbeiten, als man nach passenden Lokalitäten in Deutschland suchte, kam man auf die Idee, den »Helden« Bill Holden auf der Flucht vor der Gestapo eine Nacht in der berüchtigten Hamburger Herbertstraße bei den einschlägigen Damen verbringen zu lassen.

Keiner von uns war je in der Herbertstraße gewesen. Sie ist nur ein paar hundert Meter lang, eng, von dicht aneinandergedrängten Häusern gesäumt. Und dort, hinter Glas, war »die Ware« ausgestellt: Mädchen jeden Alters, jeder Farbe und Aufmachung, die amüsiert oder gelangweilt auf die Menschenmenge hinunterblickten, zum großen Teil Matrosen aller Herren Länder, die ihrerseits fasziniert hinaufgafften und Preise aushandelten.

Unser amerikanischer Produzent, der Regisseur, Bill Holden

und ich – wir standen da und gafften ebenfalls. Auf einmal erkannte mich eine der Schaufensterdamen. Es war noch nicht lange hergewesen, daß ich mein Filmdebüt in Deutschland mit »Feuerwerk« gemacht hatte, und das Lied »O mein Papa« war mein Leitmotiv geworden.

Das Mädchen oben gab die Kenntnis meiner Identität weiter, und auf einmal begann ein Dutzend ihrer Nachbarinnen zu kichern, mit dem Finger auf mich zu zeigen – und schließlich im Chor zu singen: »O mein Papa war eine wunderbare Clown . . .«

Mein Produzent rechts und mein Regisseur links sonderten sich je einen Schritt von mir ab und sahen mich an. Bill Holden aber fragte zögernd: »Sag mal, hast du früher hier gearbeitet?«

Therese konnte sich über keinen Konjunkturrückgang beklagen. Klar, Callgirls älteren Semesters sind zunächst mal im Hintertreffen – aber schlußendlich doch nicht, denn sie haben meist einen festen Kundenkreis, alles Senioren natürlich, jene Sorte, die sich bei Jüngeren eher eingeschüchtert als angeregt fühlt. Die waren anhänglich, kamen regelmäßig, und wenn einer sich mal monatelang nicht blicken ließ, durfte sie annehmen, daß er hinüber war.

Sie konnte es sich sogar leisten, nur einen einzigen Mittelsmann für »Empfehlungen« zu benutzen. Der war aber auch ein Mann von Statur, der Nachtportier vom Hotel Metropol, und er verstand was von Qualität. Auf den konnte sie sich hundertprozentig verlassen, und er sich auf sie mit fünfzehn Prozent.

An dem bewußten Tag hatte sie bereits alles mit ihm abgesprochen und in ihren Kalender eingetragen, als es zum zweitenmal klingelte.

»Hallo? . . . Therese Kiefer, ja, am Apparat . . .« Eine unbekannte Stimme. Es kam vor, daß jemand direkt anrief, aber Mund-zu-Mund-Propaganda war selten, die älteren Semester blieben lieber anonym. Ihr war das recht, sie bevorzugte den Weg über den Nachtportier. Erstens waren seine Klienten zahlungskräftig, das Metropol war teuer, zweitens siebte er sie.

Sie fragte kühl: »Wer hat Sie empfohlen? . . . Wer? . . . Ach, ja, der kleine Dicke, jetzt weiß ich wieder, der war ja schon öfter hier . . . Na, dann wollen wir mal sehen, ob wir's einrichten können . . .« Das königliche Wir stellte sich ganz von selbst ein. »Wann geht Ihr Zug? . . . Um sieben . . . Eine Dreiviertelstunde – doch, da läßt sich schon was machen . . . Hundertfünfzig . . . Wieso? . . . 'ne Viertelstunde weniger? Nee, das macht keinen Unterschied, ich bin doch kein Taxi . . . Wie heißen Sie bitte? . . . Müller. Na, klar . . . Was war das? . . . Sie heißen wirklich Müller?« Sie lachte. »Na, dann entschuldigen Sie vielmals, hab' ja nur Spaß gemacht . . . Sind *Sie* aber empfindlich! Klar, Müller ist 'n hübscher Name. Wenn Sie's interessiert: Müller gehört zu meinen Lieblingsnamen. Na schön, dann auf sieben Uhr, Herr Müller.«

»Olle Mimose«, murmelte sie und wanderte pfeifend ins Badezimmer, sah sich aus Versehen im Spiegel – und blieb entsetzt stehen. Wie sie aussah! In dem uralten grünen Bademantel, von dem sie sich aus Aberglauben seit zwanzig Jahren nicht trennen konnte. Und ungeschminkt, was sie sich nicht mal als junges Mädchen leisten konnte wegen ihrer schlechten Haut, so wächsern blaßgelblich. Aber die Haare waren die eigentliche Katastrophe, spärliche Maus, und jedes Jahr spärlicher und mausiger.

Niemand ahnte was. Wer sie auch sah, bewunderte ihre blonde Lockenpracht. Vielleicht spekulierte man: Na, die *müssen* doch gefärbt sein – wie alt ist die? Fünfundvierzig? Fünfzig? Aber daß die ganze Herrlichkeit nachts auf einem Perückenständer ruhte, das konnte keiner wissen, so gut war das Ding gearbeitet, saß wie angewachsen. Tausend Märker; Geschäftsspesen.

Sie setzte sich auf den Badehocker und begann, die dichten Haarsträhnen auf Carmen Curlers aufzudrehen. Die tägliche Vorarbeit, ihr »Bleistiftspitzen«. Es würde ein leichtes

Abendprogramm werden, nur drei Kunden. Zweimal Müller, hintereinander, beides Neue, dann Schmidt. Selten gab man den wirklichen Namen an, gewöhnlich blieb es bei Müller oder Meier oder Schmidt.

Es klingelte an der Wohnungstür. Pünktlich waren sie alle, na klar, zwo Mark fünfzig die Minute. Jetzt war's also genau sieben. Müller, 'n Neuer.
Sie öffnete die Tür und blieb stehen, lächelte breit und zählte innerlich bis fünf. Der erste Eindruck war wichtig, und das Licht über ihr in der Diele umgab sie mit einer Art Heiligenschein. Müller-Meier-Schmidt hatten Zeit zur Begutachtung: Das rosa »Gewand«, Satin mit Schwanenfedern – es machte dick, aber noch konnte sie sich's leisten, gerade noch so –, war 'n bißchen altmodisch, aber so mochten die's am liebsten. Ihr Gesicht – weiß Gott nicht klassisch, was sie auch draufkleckste, aber es »hatte« was. Und dann die Haarpracht, die schaffte es immer, auch bei den Meckerern.
Bei fünf begann sie mit dem Dialog. (Sie hatte es ausprobiert, vier war zu kurz, und bei sechs hatte einmal ein Kunde ungeduldig »Also, was is?« gerufen.) Ihre Begrüßung war immer dieselbe und immer herzlich.
»'n Abend, Herr Müller, legen Sie doch ab, kalt draußen, was? Immer rein, immer rein, bei mir ist's schön mollig.« (Neulich hatte sie doch buchstäblich an einem heißen Sommertag gesagt: »Kalt draußen, was?«)
Herr Müller trat über die Schwelle, groß, dicklich und zögernd. Therese mußte ihn sanft von der Diele ins Zimmer stoßen.
»Sehr schön mollig«, murmelte er und sah sich verstohlen um, während sie in der Diele seinen Mantel auf einen Bügel hängte, um ihm Zeit zu geben, den Raum auf sich wirken zu lassen. Davon versprach sie sich immer viel. Er war ganz und

gar in Rosa getaucht, das Bett so breit wie lang, darauf die große Puppe zwischen riesigen Kissen, alles schummrig rosa, wie sich der kleine Moritz ein Nuttenschlafgemach vorstellt – und trotzdem hatte es was von einem verwunschenen Kinderzimmer.

Therese trat ein und warf einen schnellen Blick auf den Mann: Mitte Fünfzig, vorzeitig verfettet, Typ Zum-erstenmal-bei-so-einer.

»Tja, Herr Müller . . . sonst gebe ich meinen Kunden immer gern was zu trinken, 'n Eiercognac oder 'n Sherry, aber Sie haben's ja leider eilig, nicht wahr, und da müssen wir an die Kohlen denken. Im voraus übrigens, wenn ich bitten darf.«

Herr Müller zog seine Brieftasche.

»Dort auf die Silberschale, ja?«

Er blätterte gehorsam einen Hunderter und fünf Zehner hin.

»Also dann«, sagte sie und begann zu singen: »Auf in den Kampf, Tore-e-e-ero – da ist das Badezimmer, da können Sie ablegen.«

Herr Müller verschwand. Sie zählte blitzschnell die Scheine nach, zog die künstlichen rosa Blumen wie ein Büschel Haare mit einem Griff aus dem Topf und versenkte die Scheine drin, stopfte die Blumen wieder hinein. Dann hob sie die Puppe vom Bett und setzte sie in den Puppensessel daneben. Die Puppe saß aufrecht und blickte aufs Bett. »Denkste«, sagte Therese und drehte ihr den Kopf zur Wand.

Die seidene Bettdecke wurde vorsichtig abgenommen und aufs Sofa gelegt, dann drapierte sie sich der Länge nach über das Bett. Deckenlicht aus und Nachttischlampe an; wahrscheinlich würde sie die auch noch ausknipsen müssen, Typ Zum-erstenmal mochte weder Beleuchtung noch Spiegel.

Da war er schon, stand in der Tür in Leibchen und wollenen Unterhosen, Socken und Schuhen, den Anzug und das Hemd über dem Arm, und sah sich hilflos um.

»Na, da! Auf dem Stuhl da drüben.« Der war aber doof, selbst für diesen Typ.

Er hängte seine Jacke sorgfältig über die Lehne, die Hose legte er schön gefaltet auf den Sitz. Therese lehnte sich in die Riesenkissen zurück und sah lässig zu, wie er seine Schuhe auszog, mühsam. Er konnte sich ja dazu nicht setzen, weil seine Hose auf dem Stuhl ausgebreitet war und er sie nicht verknautschen wollte. Schnaufend bückte er sich und begann, den rechten Schuh aufzuschnüren. Es dauerte etwas – ein Schnürsenkel machte ihm zu schaffen –, und auf einmal weitete sich ihr Blick. Sie setzte sich mit einem Ruck auf und starrte fasziniert auf Herrn Müllers Rückseite in der wollenen Unterhose.

»Sagen Sie mal, Herr Müller«, begann sie langsam. »Heißen Sie vielleicht Eberhardt?«

Müller, barfuß, den linken Schuh in der Hand, richtete sich erschrocken auf.

»Woher wissen Sie das?«

Therese sprang vom Bett, klatschte beide Hände zusammen und schlug sie sich heftig vor die Stirn.

»Eberhardt! Eberhardt Müller! Ist das die Möglichkeit!«

»Wieso«, stammelte der Mann. »Ich versteh' nicht . . . Sie kennen mich?«

Therese mußte sich hinsetzen, fiel auf den Bettrand zurück.

»Mensch, Eberhardt! Ich glaub's nicht. Mensch! Nu stell doch bloß den Schuh hin!«

Er tat es, benommen und voll böser Ahnungen, aber ordentlich parallel ausgerichtet neben den anderen.

»Sieh mich doch mal richtig an«, schrie sie. »Erkennst du mich denn nicht?«

Er näherte sich ihr wie auf Nadeln, die Sache war ihm unheimlich. Er hatte doch sonst ein gutes Gedächtnis, brauchte das ja für seinen Beruf.

Sie hielt ihm ihr Gesicht entgegen, strich die blonden Locken etwas zurück, und er betrachtete es voll Unruhe.

»Na?« drängte sie.

»Frau Kiefer, nicht? Frau Therese Kiefer wurde mir gesagt . . . Ich . . . ja, ich weiß wirklich nicht . . .«

Wie im Rausch riß sie sich die Lockenperücke herunter, und zwar mit Gewalt, denn sie war ja mit Klammern an ihre eigenen Haare angesteckt. Müller schrie auf. Es sah einen Moment aus, als habe sie sich geköpft, denn von der dichten Lockenpracht war nur ein winziger, kahler Stumpf übriggeblieben, darauf, bei näherer Betrachtung, ein paar dünne graubraune Haarkringel, wie angeklebt.

»Ach was, Therese Kiefer! Ich war mal mit 'nem Kiefer verheiratet. Resi, Mensch, Resi! Na? Weißt du's immer noch nicht?«

»Resi Oberholzer«, stammelte er und mußte sich *auch* setzen, neben sie auf den Bettrand.

Sie starrten sich an, Therese momentan überwältigt, Müller im Schock. Allmählich kam sie wieder zu sich, tat etwas Vernünftiges und erstickte damit andere Möglichkeiten – verlegene Umarmung, vielleicht sogar Tränenströme – im Keim: Sie setzte sich die Perücke wieder auf. Allerdings schief, und Müller, ein ordentlicher Mensch, rückte sie automatisch zurecht, was sie als Liebkosung empfand und sie veranlaßte, ihn mit feuchten Augen anzulächeln.

»Eberhardt – jetzt bloß keine Seelenkisten!«

»Wieso hast du mich plötzlich erkannt?«

Sie zögerte sekundenlang, dann prustete sie los: »Mensch, wie du dich gebückt hast, da dacht' ich mir, so 'n Hinterteil, das hast du doch schon mal wo gesehen – oder?«

Aber Eberhardt lachte nicht, starrte sie nur sprachlos an.

»Mensch«, sagte Therese immer wieder, während ihr die Lachtränen übers Gesicht liefen. »Mensch!«

Als er die Sprache wiedergefunden hatte, sagte er zögernd: »Das hat sich nicht verändert in fünfundzwanzig Jahren?«

»Du hattest da immer so 'ne Kurve nach außen an den Hüften. Jetzt geht sie *noch* mehr nach außen, die Kurve.« Sie legte einen Moment lang den Kopf an seine Schulter, schwach vor Lachen. »Außerdem hab' ich 'n Gedächtnis wie ein Elefant. Ich weiß noch alles. Du nicht?«

»Doch, doch. Ich weiß auch noch so einiges.«

Eine kleine Pause, während der sie sich ansahen. Sie rückte etwas von ihm ab, als könne sie ihn so besser betrachten.

»Weißt du, man erinnert sich doch immer an den ersten.«

»Ja? Auch in deinem Beruf?«

»Wieso – in meinem Beruf?«

Er sagte verlegen: »Na, ich dachte, das . . . das wäre vielleicht anders . . .«

»Warum anders? Ach, du meinst, das geht unter in dem großen Topf? Nee, nee, der erste – so was vergißt keine, da fress' ich 'n Besen.«

»Ich kenn' mich da nicht so aus. Ich meine, ich geh' nicht oft . . . Ich weiß eigentlich gar nicht Bescheid, wie das so ist.«

»Klar, das hab' ich gleich mitgekriegt, wie du durch die Tür getreten bist.«

»Wieso?« fragte er mißtrauisch.

»Dafür kriegt man 'n Blick in meinem Busineß. Menschenkenntnis.«

Er nickte beruhigt, betrachtete sie von der Seite und begann allmählich, nachdem der erste Schreck vorbei war, seine männliche – und vor allen Dingen seine moralische – Überlegenheit aufzurüsten.

»Menschenkenntnis! Ach du lieber Gott, ja, das brauchst du sicher. Die kleine Resi! Wer hätte das gedacht. Du armes Kind!« Dabei streichelte er ihr das Gesicht.

»Wieso armes Kind?«

Er schüttelte langsam den Kopf und wiederholte mit tiefem Mitgefühl: »Du armes Kind« und zog sie näher heran, um ihr Gesicht noch besser streicheln zu können. »Wie ist das bloß passiert?«

Sie wehrte seine Hand energisch ab. »Ach Mensch, Eberhardt! So 'ne olle Klamotte.«

»Klamotte?«

»Das fragen doch alle immer. ›Wie sind *Sie* denn bloß . . .‹ und so weiter.«

»Ach so. Aha, ich verstehe. Aber ich meine, in unserem Fall interessiert's mich doch, nämlich . . .« Er blickte verschämt auf seine Knie.

»Ja?«

»Als ich dich das letzte Mal gesehen habe, da warst du doch noch auf der Schule.«

Therese nickte und kicherte. »Weißt du noch, die Turnhalle?«

»Mit den dicken Ledermatratzen in der Ecke . . .«

»Die ollen Dinger, ich weiß noch genau. Ich hab' immer meinen roten Mantel draufgelegt. Und dann hat mich meine Tante verhauen, wenn er staubig war.«

»Deine Tante! Gertrud hieß die, nicht wahr?« Er wurde richtig fröhlich und schlug sich aufs Knie. »Die Tante Gertrud! Vor der hatte ich Angst. Einmal, beim Elterntag, hat sie zu mir gesagt: ›Die Resi ist doch unmusikalisch, wissen Sie das nicht als Gesangslehrer? Warum ist sie bei Ihnen im Schulchor?‹ Da hab' ich Idiot gesagt: ›Die Resi ist nicht im Schulchor.‹ Die hat mich angesehen! Und dann hat sie ganz langsam gesagt: ›So? Warum geht sie dann immer abends zu den Chorproben?‹«

Therese unterbrach ihn: »Davon weiß ich ja gar nichts! Was hast du geantwortet?«

»Ich hab' gesagt: ›Sie hört gern zu.‹«

»Mensch!« Sie bog sich vor Lachen. »Und dann?«

»Nichts. Aber sie hat mich angesehen – den fühl' ich heut'
noch, den Blick. Lebt sie noch?«

»Na, sag mal, die steht schon bald wieder auf. Und dein Vater
und deine Mutter, gibt's die noch? Alle tot. Na klar.«

Sie betrachtete ihn nachdenklich, sah den dicken Schädel mit
dem sorgfältig über die kahle Stelle gezogenen Haar, den zu
kurzen Nacken, die wabbligen Arme – und die Füße. Die sah
sie sich lange an: platt ausgetreten, und die Zehen dünn und
wie ausgefranst.

»Na, nun erzähl doch mal 'n bißchen«, sagte sie. »Biste verheiratet, was tuste, erzähl doch mal. Biste immer noch Gesangslehrer?«

»Ach wo, schon lange nicht mehr. Ich bin Vertreter für
Aschenbecher. Eine große Firma in Stuttgart.«

»Vertreter. Mußte viel reisen?«

Er nickte.

»Reiste gern?«

Er nickte wieder, sah vor sich hin.

»Also biste nicht gern zu Hause.«

Er schwieg.

»Haste Kinder?«

»Drei.«

»Mensch!« sagte Therese.

»Ja.« Er sah sie von der Seite an.

»Na, und du? Bist du noch mit dem – wie hieß er – Käfer?«

»Kiefer. Aber nicht doch.«

»Geht's dir gut?«

»Mir? Prima.«

So echt, daß er sich traute, sie zu fragen, was er immer schon
gern gewußt hätte: »Macht's dir Spaß?«

»Die Kunden, meinst du?« Er dachte: Nennt man die nicht
Freier? Wie sie von denen spricht! Wie von Kollegen im Büro.

»Och, im allgemeinen schon. Manchmal hat man Ärger, und

manchmal fällt einem einer auf den Wecker, aber das gibt's doch in jedem Beruf, oder?«

Er sagte zögernd: »Ja . . .«

»Na, siehste. Und an das hier . . .« Sie machte eine vage Geste, die das Zimmer umriß, und hängte noch schnell eine kleine Schleife an, die das Bett mit einbezog. »Ach, weißt du, daran gewöhnt man sich. Immer dasselbe. So ungefähr.«

»Aber wie hat's angefangen?« fragte er hartnäckig. Nun saß er endlich an der Quelle, nun wollte er's wissen. Aber dann kamen ihm doch Bedenken. »Oder willst du nicht darüber . . .«

»Doch. Dir kann ich sogar sagen, wie's wirklich war. Den anderen erzähl' ich 'ne Geschichte, immer denselben Quatsch. So was hören die gern: Liebes kleines Mädchen, rein wie Schnee, und da kommt 'n Kerl und verführt mich.« Sie lachte, wiegte ein imaginäres Baby im Arm. »Kind, still und heimlich, Kerl auf und davon. Manchmal tu ich noch 'ne kranke Mutter dazu.« Dann mit Trauerblick: »Kind tot, Mutter tot, alles im Eimer – runter auf die Straße.« Sie schlug ihm auf die Schulter. »Nee, Mensch, und die glauben so was.«

»Und wie war's wirklich?«

»Wie's *war?* 's war gar nicht. Mein Mann, der Kiefer, der machte Pleite und verschwand bei Nacht und Nebel, da war ich noch nicht dreißig. Aber der hatte einen Onkel, verstehst du? Und *so* alt war der nun auch wieder nicht. Und dann – warte mal –, ach ja, dann kam der Freund von dem Onkel, also *den* hab' ich richtig gern gehabt. Der Onkel wollte aber nicht so schnell in der Versenkung verschwinden, und da haben sich beide in die Kosten geteilt, verstehst du, denn billig bin ich nie gewesen, das hat den Kiefer schon immer geärgert. Na ja, und so hat sich der Kreis langsam erweitert.« Sie schwieg und ließ ihren Lebenslauf Revue passieren, konstatierte stolz: »Und jetzt hab' ich meistens feste Kunden, regelmäßige, jeden zweiten Donnerstag oder so . . .«

Er hielt den Atem an. »Und jedesmal hundertfünfzig Mark?«
»Na klar! Abonnement gibt's nicht.«
Er mußte es einfach wissen: »Was nimmst du so ungefähr ein?«
Therese schürzte die Lippen und rechnete. »Verschieden. In der Saison durchschnittlich vielleicht tausendfünfhundert . . .«
»Am Tag?« schrie er.
»In der Woche, Mensch, in der Woche.«
Er starrte sie sprachlos an.
Sie legte ihm beide Hände auf die Schultern und sah ihm in die Augen. »Und das Tollste ist: steuerfrei.«
Er hob den Kopf wie unter einem schweren Gewicht und sah an ihr vorbei in das rosa Halbdunkel. »Sechstausend im Monat steuerfrei. Ich mach' zweitausend, und dann kommen die Abzüge.«
»Armer Eberhardt, Mensch!«
»Was machst du mit dem ganzen Geld?« fragte er rauh.
»Och«, meinte sie gedehnt. »Schließlich hat man seine Unkosten. Das Zimmer hier zum Beispiel.«
»Unkosten? Deine Wohnung?«
»Na, die Bude hier, die ist doch mein Büro, sozusagen meine Geschäftsadresse. Ich *wohn'* doch nicht in so 'nem rosa Käfig, da wird einem ja übel. Und dann gehen glatte fünfzehn Prozent an den Portier im Metropol, Vermittlungskommission, weißte . . .« Sie unterbrach sich und sah auf die Uhr auf dem Nachttisch. »Eberhardt! Dein Zug! Jetzt ham wir die teure Zeit verquatscht . . .«
Er holte tief Atem. »Dann nehm' ich eben den nächsten. Ich bleibe hier.«
Therese streckte warnend eine Hand aus. »Nee, nee, das geht nicht, du. Um acht hab' ich einen Kunden, einen neuen, den kann ich nicht einfach sausen lassen, da käm' mir mein

Agent aber auf'n Kopf. Zieh dich schnell an, sonst schaffst du's nicht.«

Er gab auf und ging gehorsam zum Stuhl, auf dem seine Sachen lagen. Es war ja nur mal so eine Idee gewesen . . . Er zog seine Hose an, dann das Hemd, setzte sich hin, streifte die Socken über und plagte sich mit den Schnürsenkeln.

Ganz plötzlich packte ihn die Wut, und er sprang auf.

»Herrgott noch mal! Da stimmt doch was nicht! Ich schlag' mir die Nächte um die Ohren im Zug, ohne Schlafwagen, laufe von Pontius zu Pilatus für lausige zweitausend – und du, du lotterst hier herum für *sechs*, steuerfrei!«

Ohne hinzusehen, griff sie lässig nach der Puppe neben dem Bett, drückte sie an sich und streichelte ihr strohgelbes Haar, während Eberhardt dicht vor ihr stand und mit merkwürdig heißem Blick auf sie herabsah.

»Wie lange hat's gedauert, damals, nachdem ich . . . Na ja, zugegeben, ich hätt's dir sagen sollen, daß ich 'ne Stelle in Chemnitz angenommen hatte . . . Aber: Wie lange hat's gedauert, bis du wieder mit einem . . . Wie lange?«

Sie fuhr fort, die Puppe zu streicheln, und lächelte vor sich hin. Dann meinte sie bedächtig: »Das war ein prima Motorrad, auf dem du damals abgehauen bist. War das wegen deinem Gespräch mit Tante Gertrud? Schiß vor der Schulgemeinde, Lehrer verführt Schülerin?«

Er antwortete nicht.

»Auf dem Motorrad wollten wir doch in den Ferien zusammen ans Meer fahren, weißt du noch?«

»So?« murmelte er. »Daran erinnere ich mich nicht mehr.«

Sie sagte nichts, streichelte die Puppe, sah ihn an.

»Na, sag schon, Resi, wie lange?«

»'ne ganze Weile, Eberhardt.«

»Wie lange?« bohrte er stur, konnte sich selbst nicht erklären, warum ihm das plötzlich so wichtig war.

»Weiß nicht mehr. Für 'n sechzehnjähriges Gör ziemlich lange.«

Eine ihm bisher unbekannte Verzweiflung packte ihn. Er beugte sich über sie und bat mit heiserer Stimme: »Resi, im April bin ich wieder hier in der Gegend . . .«

Ihre Augen wurden hart. »Nee, Eberhardt, nee, kommt nicht in Frage.«

Er wich zurück, und sie stand auf, setzte die Puppe ab und ging an ihm vorbei zum Fenster. Stumm sah er zu, wie sie die Blumen aus dem Topf zog – ihr Sparschwein! –, wie sie ein paar Geldscheine herausholte und dann innehielt und ihn ansah, als nehme sie ihn aufs Korn. Und er wußte, daß er zurückstarrte wie der Hase ins Gewehr. Verdammt, dachte er, worauf wartet sie? Wenn ich nicht mal wiederkommen darf – und heute war sowieso nichts los –, dann *muß* sie mir doch wenigstens die Kohlen wiedergeben . . .

Sie stopfte die Blumen zurück in den Topf.

»Hier, dein Einsatz: hundertfünfzig. Und noch dreimal hundert für die drei Rotznasen. Bin froh, daß es nicht meine sind.«

Sie drückte ihm die Scheine in die Hand, und er steckte sie wortlos in die Tasche, sah sie nicht an.

»Los, Eberhardt, du mußt jetzt abhauen. Nu komm schon, der nächste wird gleich dasein. Das macht 'n schlechten Eindruck, wenn sich zwei die Klinke in die Hand geben, verstehste?« Sie drängte ihn hinaus in die Diele. »Vergiß deinen Hut nicht. Du, du mußt dich beeilen, dein Zug . . .« Die geschundenen Zehen tauchten vor ihr auf, er würde laufen müssen.

Sie umarmte ihn plötzlich und küßte ihn auf die Wange. »Drüben an der Ecke gibt's Taxis. Wiedersehen, Eberhardt. Mach's gut!«

Sie schloß die Tür hinter ihm und ging langsam in das rosa

Revier zurück. Bettdecke wieder ausbreiten, Kissen glatt-schütteln. Sie hob die Puppe auf, strich ihr mechanisch übers Haar und starrte auf das Bett. Das Rosa verschwand, und an seiner Stelle lag eine schwarze, staubige Ledermatratze, dar-über ein roter Mantel, und auf dem Mantel saß ein Mädchen in Rock und Bluse, mit langen braunen Haaren, und weinte.

Es läutete an der Wohnungstür.

Therese setzte die Puppe auf ihren Sessel, warf schnell einen Blick auf den Kalender. Wie hieß der noch schnell, der Neue?

Erschöpft, erhitzt und derangiert

Ich will aber vier Kinder haben!« hatte Brigitte damals gerufen, gleich nachdem Georg sie zum erstenmal geküßt hatte in seinem alten VW auf dem Parkplatz hinter der Uni. Er hatte sie sofort losgelassen, sie angestarrt, laut gelacht und gleich noch einmal geküßt, noch ausgiebiger als das erste Mal.

»Und wer sagt Ihnen, daß ich Sie heiraten will?«

»Wetten?« hatte sie geantwortet. »Und nun dürfen Sie ruhig du zu mir sagen.«

So war das damals noch gewesen, vor dreiundzwanzig Jahren. Man war noch vorsichtig. Und er als frischgebackener Professor der angewandten Physik hatte natürlich auch zu der Studentin Brigitte Hegemann eisern Sie gesagt, obwohl sie an seinem Privatkurs teilnahm und schon einige Male allein mit ihm durch die Anlagen gewandert war, rein zufällig. An dem bewußten Tag hatte es plötzlich heftig zu regnen angefangen, und er hatte ihr angeboten, sie nach Hause zu fahren.

Vier Kinder? Warum gerade vier? Das sei ihre Glückszahl, und so hatte sie sich dann auch sofort daran gemacht, diese vier in die Welt zu setzen, in beinah regelmäßigen, kurzen Abständen, wie eine Fleißaufgabe. »Dann hab' ich's hinter mir.«

Die Glückszahl hatte sich bewährt. Alle vier waren gesund,

71

hin und wieder sogar gescheit und erfreulich anzuschauen. Horst, der Älteste, war mittlerweile zwanzig und der Jüngste, Martin, beinah sechzehn; dazwischen lagen mit achtzehn und siebzehn Inge und Anna. Bis jetzt gab es noch keinen Alkoholiker unter ihnen und auch keinen Drogensüchtigen, es waren also Musterkinder, für die man dem lieben Gott täglich auf den Knien danken sollte. Sollte, denn das Übel, das einen *nicht* heimsucht, löst nun mal keine täglichen Glücksgefühle aus. Nur hin und wieder, im Gespräch mit anderen Eltern, sagten sich Georg und Brigitte: Die Unsrigen sind doch die reinen Engel. Untereinander fanden die vier das nicht und schlugen sich die Köpfe ein, wenigstens solange sie klein waren.

Es war also schon merkwürdig, daß Brigitte, als sie vom Einkauf zurückkam, alle vier im Hausflur versammelt fand, und daß sich alle vier wie auf Befehl auf sie stürzten, um ihr die Tragtaschen abzunehmen.

»Gib doch her, Mutter!«

»Das ist doch viel zu schwer für dich!«

»Laß mich das doch tragen, bitte!«

»Ist noch was im Wagen geblieben?«

Sie stand mit leeren Händen und offenem Mund da und sah sprachlos zu, wie sie à la Heinzelmännchen in der Küche hantierten, plötzlich wußten, wo alles hinkam, wie sie auspackten, einräumten, aufstellten. Innerhalb von fünf Minuten war alles an seinem Platz, und die Tüten und Hüllen lagen sauber aufgestapelt daneben. Sie bekam's mit der Angst.

»Ist was passiert? Was mit Vater?«

Nichts. Was sollte passiert sein? Alles prima. Wir können dir doch wohl mal helfen, oder? Damit verzogen sie sich, seitwärts abtanzend. Brigitte sank in einen Küchenstuhl und staunte.

Sie hätte noch mehr gestaunt, wenn sie in diesem Moment

einen Blick in Horsts Zimmer im zweiten Stock geworfen hätte. Das war sonst für »Kinder unter zwanzig« streng verboten, aber heute saßen dort alle vier dicht beisammen, Horst und Inge auf dem Bett, Martin am Boden, Anna daneben.

»Eins ist klar«, sagte Martin. »Sie hat keine Ahnung.«

»Das würde ich auch sagen«, meinte Anna. »So, wie sie da mit dem schweren Zeug singend die Stufen heraufkam . . .«

»Wo ist Vater?«

»Heut' ist Sonnabend. In seinem Zimmer natürlich.«

Horst stand auf und drehte den Schlüssel an der Tür um.

»Warum denn das, Mensch? Es kommt doch keiner rein.«

»Sicher ist sicher.« Er setzte sich wieder. »Also – wollen wir ihr's heute sagen oder nicht?«

»Nach dem Essen«, sagte Martin.

»Und warum nicht jetzt? Sie ist doch allein in der Küche. Wir fragen einfach, ob sie einen Moment Zeit hat.«

»Mensch, doch nicht auf'n leeren Magen.« Martin tippte sich an die Stirn. »Hast ja keine Ahnung von Psychologie.«

Inge kaute an ihren langen, hellen Haarsträhnen. »Aber heute muß es passieren. Sie hat mich schon zweimal gefragt, was mit mir los ist.«

»Also gut«, entschied Horst, »nach dem Essen.«

Anna streckte sich der Länge nach auf dem Boden aus. »Höchste Zeit. Ich kann schon gar nichts mehr runterkriegen. Mir dreht sich der Magen um, wenn ich ihn ansehe – und wenn ich *sie* anseh', dann dreht er sich wieder zurück.«

»Das wär' kein Grund«, sagte Inge. »Nimm ruhig ein paar Pfund ab, du platzt aus deinen Jeans. Nein, was *mich* an der Sache aufregt, ist, daß es immer häufiger wird. Ist euch das aufgefallen? Das fing so zweimal in der Woche an, und jetzt geht das bald jeden Tag los. Ich fühle mich richtig gedemütigt – als Frau gedemütigt.«

»Na, na, na«, sagte Martin. »Du – als Frau?«

»Jawohl. Er ist mein Vater, aber er ist ein *male chauvinist pig*.«

»Sag's auf deutsch«, brummte Martin.

»Auf deutsch klingt's zu ordinär.«

»Na, sag's schon.«

»Ein männliches chauvinistisches Schwein.«

»Und was ist chauvinistisch?«

»Mensch!« sagte Inge.

Anna setzte sich auf und rief: »Das *ist* er. Egal, was es ist. Und heute wird der Schweinerei ein Ende gemacht. Okay?«

Die anderen nickten ernst.

»Ihr seid ja alle so schweigsam«, sagte Brigitte und sah im Kreis herum. »Was ist denn heute los? Vorhin Mütterchens Hilfstruppen – und jetzt kein Piep.«

»Ich muß auch sagen«, meinte Georg und blickte von einem zum anderen. »Eine Atmosphäre! Eisig.«

»Na, Horst?« fragte Brigitte. »Raus mit der Sprache!«

»Wieso, Mutter«, murmelte der. »Es ist . . . Ich weiß nicht, was du meinst.«

»Sonst schwatzt ihr eine Nuß vom Baum – und heute ist Friedhofsstille.«

Martin lachte.

»Was lachst du?« fragte seine Mutter kalt.

»Über das Wort«, druckste er verlegen.

Alle hörten auf zu essen und sahen ihn an. Er stocherte hilflos auf seinem Teller herum, bis Anna ihm zu Hilfe kam: »Über das Wort Friedhofsstille, das gefällt ihm nicht – glaube ich.«

»Und er lacht, weil's ihm nicht gefällt? Seid ihr alle auf einmal vertrottelt – oder fällt mir das erst heute so richtig auf? Ich verbitte mir eine derart minderwertige Unterhaltung bei Tisch.«

»'tschuldige, Vater«, murmelte Anna.

Die Stille drückte. Wenn eins der Kinder noch eine Kartoffel haben wollte, wurden Handzeichen benutzt. Brigitte sah grimmig drein.

Nach einer langen Weile kam das erste Geräusch: Georg räusperte sich. »Ich muß übrigens heute nachmittag weg, habe da eine Besprechung mit einem Verleger.«

»An einem Sonnabend?«

»Der kann immer nur übers Wochenende aus der Schweiz herkommen. Nur ein, zwei Stunden, dann bin ich wieder da. Aber – zum Abendbrot muß ich wieder weg. Festessen für einen Kollegen, Jubiläum oder so was. Langweilig, aber ich kann mich nicht drücken.«

»Warum hast du nichts davon gesagt? Hab' extra Rohschinken und Melone gekauft.«

»Es hat sich erst vor einer halben Stunde ergeben. Die haben angerufen, um mich daran zu erinnern. Ich hab' nicht nein sagen können, du verstehst.«

»Okay«, Brigitte spielte verärgert mit ihrem Löffel und merkte nicht, daß sich die Kinder wie Scharfschützen Blicke über den Tisch zuwarfen.

Georg tupfte sich den Mund mit der Serviette ab und zog sie dann sorgfältig durch den Silberring mit dem verschnörkelten G.

»Es ist möglich, daß es spät wird heut abend. Man kann so was nicht vorher wissen.«

»Okay«, sagte Brigitte noch einmal. »Ich warte also nicht.«

Er stand auf, und sie rief: »Dein Kaffee! Warte doch noch ein paar Minuten!«

Verbissene, stumme Augensprache der vier Sprößlinge.

»Kaffee – ach ja. Na, nun bin ich schon auf halbem Weg. Es geht auch ohne.« Er küßte sie flüchtig auf die Stirn und verließ das Zimmer.

Brigitte sah ihm erstaunt nach. Warum kam ihr heute alles so seltsam vor? Sie stand auf und ging zum Buffet, um das Tablett mit dem Kaffeegeschirr zu holen.

Diesen Augenblick benutzte Inge, um über den Tisch zu zischen: »Jetzt, Horst!«

Aber die Mutter hatte gute Ohren. Sie drehte sich um und sah von einem zum anderen. »Richtig. Jetzt, Horst! Und ich kann nur sagen: endlich.«

Der junge Mann holte tief Atem. »Setz dich, Mutter!«

»Warum soll ich mich setzen? Der Kaffee zieht noch.«

»Tu's, Mutter«, sagte Martin düster. »Ich geb' dir einen guten Rat: Setz dich!«

Sie ging zum Tisch zurück.

»Schön. Ich setze mich. Also?«

Horst senkte den Kopf. Noch eine letzte, kleine Pause, und dann der erste Satz, der wichtige, über dem sie alle so lange gebrütet hatten, knapp, prägnant und anschaulich:

»Vater geht fremd.«

»Na so was«, sagte Brigitte.

Sie sahen sich an. Das erste Stadium: Unglauben. Klar, darauf war man vorbereitet.

»Ja, Mutter«, rief Inge. »Ja! Ja! Ja! Es gibt überhaupt keinen Zweifel.«

»Es ist alles recherchiert«, sprach Martin mit Grabesstimme. »Er betrügt dich.«

Brigitte sah langsam von einem gramzerfurchten Gesicht zum anderen. »So, recherchiert habt ihr das. Wer Kaffee möchte, kann ihn sich jetzt holen.« Sie stand auf, goß sich eine Tasse ein, setzte sich wieder auf ihren Platz.

Kaffee! Hier ging es um eine bitterernste Sache, um das Debakel einer einundzwanzigjährigen Ehe, um den moralischen Bankrott eines angeblich hochstehenden Mannes und Familienvaters – und sie sprach von Kaffee. Tragisch, diese

Verbohrtheit. Man mußte wohl erst mit schwerem Geschütz auffahren.

Horst holte sein Notizbuch aus der Tasche. »Wir haben alles minuziös eingetragen.«

»Jeden Tag«, grollte Martin.

»Jede Stunde«, piepste Anna dazwischen.

Aber Horst ließ sich nicht unterbrechen. »Und wie lange es jedesmal gedauert hat.«

Brigitte sah ihn an. »Wie lange was gedauert hat?«

Horst sagte schnell: »Sein Rendezvous, Mutter. Hier zum Beispiel: am Montag, zwischen drei und vier. Dann Mittwoch . . .« Er hielt ein und fuhr dann langsam fort: »Vormittags – nach elf. *Vormittags!*«

»Ach, Unsinn!« sagte Brigitte und trank ein paar Schlucke. »Am Mittwochvormittag mußte er zur Bank.«

»Das hat er *gesagt*, Mutter. Er war nicht auf der Bank«, rief Inge.

»Sondern in der Hingelangstraße«, vollendete Martin.

»Hingelangstraße?« Brigitte starrte in die Luft. »Wartet mal, das kommt mir doch bekannt vor, dieser komische Name . . . Wer wohnt denn nur in der Hingelangstraße . . .« Es dämmerte ihr etwas. »Wohnt da nicht . . .«

»Da wohnt Fräulein Ursula Stoop«, deklamierte Martin, jede Silbe einzeln betonend.

»Richtig!« rief Brigitte erfreut. »Vaters Übersetzerin. Die übersetzt wahrscheinlich wieder seine neue Abhandlung.«

»Mutter«, nahm Martin sie ins Gebet. »Hat er gesagt, er geht Mittwoch früh zur Bank oder zu seiner . . .« Pause. Dann verächtlich: »Übersetzerin? Ich frage dich.«

»Nein.« Brigitte, in die Enge getrieben, ärgerte sich. »Nein, das hat er nicht gesagt. Und wenn er seine Pläne ändert, dann muß er das auch nicht anmelden. Schreib dir das gefälligst hinter die Ohren!«

Horst blieb in sein Notizbuch vertieft. Er würde seiner Mutter nicht vorschreiben, an welchem Punkt sie endlich Verdacht schöpfen sollte. Das blieb *ihr* überlassen. Er, Horst, würde nur die Fakten ans Licht bringen. »Zwei Tage später, Freitag – wieder hin zu ihr, diesmal gegen fünf Uhr nachmittags, kam wieder aus dem Haus . . .«

»Um sechs Uhr dreißig. Die Zeit hab' *ich* genommen, ewig hat's gedauert«, brüstete sich Martin mit bedeutsamem Blick. Brigitte kniff die Augen zusammen. Kein gutes Zeichen, aber vorauszusehen, nämlich Stadium zwei: Aufgespeicherter Groll wird an den Überbringern der bösen Botschaft ausgelassen. Im Mittelalter wurden diese oft umgebracht, daher ein unpopulärer Aufgabenkreis.

»Sagt mal, was heißt denn das? Ihr beobachtet euern Vater? Spioniert ihm nach?«

Martin würdevoll: »Wir haben ihn beschattet, jawohl, rund um die Uhr.«

Horst setzte schnell einen Dämpfer drauf: »Nicht rund um die Uhr, nur wenn er das Haus verließ.«

Brigitte setzte ihre Tasse klirrend ab. »Was untersteht ihr euch . . . Wie kommt ihr überhaupt dazu . . .«

Inge fühlte, jetzt war es an ihr; die Mutter war ins Schwimmen gekommen, brauchte Hilfe, von Frau zu Frau. »*Ich* bin schuld. Ich habe Vater unterwegs zufällig getroffen, da stieg er gerade aus einem Taxi mit dieser Stoop. Ich fand's etwas merkwürdig, wie er sie so am Arm hielt. Also bin ich stehengeblieben und hab' gesehen, wie er mit ihr in einem Haus verschwunden ist, und das war in der Hingelangstraße Nummer 28. Es hat mir nicht gefallen, Mutter.«

»Wir haben dann sofort nachgeforscht«, sagte Horst. »Und richtig, sie wohnt da.«

»Ja, Herrgott noch mal, was ist denn daran so bemerkenswert?«

»Nichts«, tönte Martin voll Mitgefühl. »Wenn ich nicht drei Tage später abends gegen elf gesehen hätte, wie er aus dem ›Boccaccio‹ rauskam – mit ihr.«

»Boccaccio?«

»Ein Nachtlokal. Es hat uns zu denken gegeben.«

»Und wir beschlossen, der Sache nachzugehen – in deinem Interesse, Mutter«, sagte Inge feierlich.

Brigitte sagte nichts mehr, hörte nur zu. Was nicht einfach war, denn nun wollte jeder etwas sagen und keiner warten. Einiges konnte sie aus dem Durcheinander entnehmen: »Innerhalb von drei Wochen sechsmal bei ihr in der Wohnung gewesen – zu ganz verschiedenen Zeiten – dreimal Lokale besucht – *Nachtlokale*, Mutter, hat er *dich* schon mal in ein Nachtlokal geführt? (Die Antwort wäre ein Nein gewesen.) Wir haben natürlich Fragen gestellt: ›Na, Vater, gestern spät geworden?‹ Nichts als Ausreden von ihm: in der Staatsbibliothek nach Quellen gesucht, zu einem Vortrag gegangen – alles Lüge, Mutter, von vorn bis hinten Lüge.«

Dann gab es endlich eine Atempause. Brigitte sah vor sich hin. Am liebsten wäre sie jetzt auf ihr Zimmer gegangen. Aber konnte man die empörten Augen und die brennenden Wangen einfach hier zurücklassen? Die Kinder waren ja für *sie* empört, glühten für *sie* . . . Wirklich? Sie stützte den Kopf auf die Hand. Aber dieses Sherlock-Holmes-Fieber und das Triumphgeheul: »Vater hat was ausgefressen!« Ja, sie wäre jetzt gern auf ihr Zimmer gegangen.

»Ich bin ganz erschlagen«, sagte sie leise.

Alle nickten in der Runde. So war halt das Leben, traurig, traurig. Horst ermannte sich als erster: »Das haben wir uns gedacht, Mutter, und deshalb sagen wir es dir erst jetzt, nachdem alles überprüft ist.«

»Das Beweismaterial ist lückenlos«, sagte Martin und blickte streng und unparteiisch drein.

Brigitte fühlte, wie ihr heiß wurde. »Ich muß schon sagen, ihr geht mir auf die Nerven, allesamt.«

Beleidigtes Schweigen ringsum, Stadium zwei war schwer zu verkraften. Was hatte man sich geplagt! Stunden im Regen gewartet in der Hingelangstraße, nachts Eisfüße vorm »Boccaccio«, nur ihretwegen, und das war der Dank!

»Bitte sehr, überzeuge dich«, sagte Horst und reichte ihr das Notizbuch. »Da ist jedes Rendezvous verzeichnet. Und hier«, er nahm ein dickes Kuvert aus der Jackentasche, »hier sind die Fotos.«

»Fotos?« flüsterte sie. »Ihr habt ihn fotografiert?«

»Mit seiner eigenen Kamera«, sagte Martin und grinste still vor sich hin. Nemesis, das rächende Geschick! Mit der eigenen Kamera auf Abwegen geschnappt zu werden.

Horst breitete die Fotos vor Brigitte wie ein Spiel Karten aus: Georg und eine junge Frau, immer dieselbe. Beide gehen untergehakt die Straße entlang, stehen lachend in der Haustür. Er hilft ihr galant aus dem Taxi, er kauft ihr ein Eis bei einer Eisbude . . .

Brigitte nahm jedes Bild in die Hand, betrachtete es schweigend. Beim dritten sagte sie: »Bringt mir mal meine Brille!«

Anna stürzte los und holte sie aus der Küche.

»Paß auf, daß sie nicht umfällt«, flüsterte Martin Inge ins Ohr. Aber sie fiel nicht um, war in die Fotos vertieft. Martin dauerte die Sache zu lange. »Frau vergessen, Kinder vergessen«, rief er erregt.

»Ich hätt's nie für möglich gehalten«, sagte Inge und begrub das Gesicht in den Händen.

»Viele Männer kriegen so eine Phase, bevor sie ins Greisenalter kommen«, sagte Horst und betrachtete die Mutter besorgt. »So was liest man doch jeden Tag.«

Brigitte nahm die Brille ab und steckte die Fotos sorgfältig zurück in den Umschlag.

Lilli Palmer bei der Verleihung der »Goldenen Kamera« für »Eine Frau bleibt eine Frau« in Berlin

»Ganz ohne Trara«:
Lilli Palmer als Alberts Frau und Vera Tschechowa als Rose

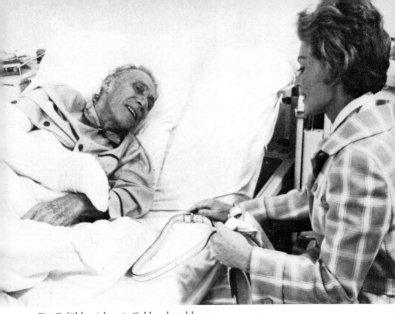

»Ein Gefühl – nicht mit Geld zu bezahlen«:
Lilli Palmer als Frau Baumgartner und Rudolf Platte als Herr Franke

»Die Auktion«: Lilli Palmer als Brigitte und Eckard Heise als Horst

»Die Auktion«:
Lilli Palmer als Brigitte und Wolfgang Kieling als Mr. Bingham

»Herr Müller«:
Lilli Palmer als Therese und Gustav Knuth als Herr Müller

»Erschöpft, erhitzt und derangiert«:
Viola Böhmelt als Inge, Ekkardt Belle als Martin und Eckard Heise als Horst

»Erschöpft, erhitzt und derangiert«:
Ekkardt Belle als Martin und Klaus Schwarzkopf als Georg

»Erschöpft, erhitzt und derangiert«:
Lilli Palmer als Brigitte und Klaus Schwarzkopf als Georg

»Tja«, sagte sie. Dann setzte sie sich mit einem Ruck auf. »Aber das besagt noch lange nichts. Euer Vater hatte dieses Fräulein Stoop besonders gern, von Anfang an, ich hab' ihn oft mit ihr lachen gehört, sie kam ja manchmal hier ins Haus – ich fand sie auch ganz reizend. Wahrscheinlich gibt's eine ganz natürliche Erklärung.«

»O Mutter!« seufzte Inge.

»Dann muß es eben sein«, sagte Martin zähneknirschend. Die anderen nickten: Es mußte sein. »Also«, sprach er bedeutsam, »um dir jeden Zweifel zu nehmen, Mutter: Jedesmal, wenn Vater aus dieser Wohnung gekommen ist und wieder auf der Straße war, da hat man ihm deutlich angesehen, daß er erschöpft war . . .«

»Knallrot im Gesicht«, fiel Inge ein.

»Den Schlips ganz verrutscht.« Das war Anna.

»Erschöpft, erhitzt und derangiert«, trompetete Martin.

Brigitte sprang auf und hielt sich mit beiden Händen an der Stuhllehne fest. »Jetzt langt's mir. Zunächst mal: Das ist jetzt nicht mehr eure Sache, es ist meine, verstanden?«

»Klar, Mutter«, rief Horst.

»Ihr stellt das sofort ein, das, was ihr beschatten nennt. Ab jetzt, verstanden? Keine Aufnahmen mehr . . .«

»Die reichen ja auch«, murmelte Martin und erntete von Horst einen Tritt gegen das Schienbein und einen Blick von seiner Mutter, der ihm zu denken gab.

»Und jetzt – raus mit euch, allesamt! Raus!«

Sie wartete, bis sich die Tür wieder geschlossen hatte. Dann setzte sie die Brille wieder auf, nahm die Fotos aus dem Kuvert und besah sich noch mal jedes einzelne. Fräulein Stoop, Ursula hieß sie und sah auch so aus, ein liebes Ding – Brigitte hätte schwören können, die ist eine grundanständige Person. Grundanständige Person, was bedeutete das heutzutage? Eine kleine Affäre mit einem älteren Mann wurde doch lächelnd abgetan, auch wenn der Mann verheiratet war und erwachsene Kinder hatte. Gerade dann, das machte die Sache nur verständlicher: Der langweilt sich mit seiner Ollen, der braucht mal wieder was Junges, Frisches.

Sie nahm die Brille ab und schob die Fotos zurück ins Kuvert, stand auf und ging ans Fenster, drückte die Stirn gegen das Glas. Bin ich eine Olle? Weiß man, wenn man's ist?

So spät wurde es gar nicht an diesem Abend. Georg kam schon kurz nach elf, öffnete leise die Haustür. Das Mondlicht schien durchs Fenster in die Diele, es war so hell, daß er das Licht nicht anmachte. Er zog den Mantel aus, blieb vor dem großen Spiegel stehen, kämmte sich schnell und rückte die Krawatte zurecht.

Oben im zweiten Stock lehnten sich vier Gestalten über das Treppengeländer, zwei im Pyjama, zwei im Nachthemd. Sie nickten sich vielsagend zu, beugten sich tief hinunter, um zu beobachten, wie er die Tür zum Wohnzimmer öffnete, und hörten, wie er rief: »Noch jemand wach?« Und auch Brigittes Stimme: »Ja, ich.« Dann schloß sich die Tür hinter ihm. Wie die Indianer, leise und barfuß, stiegen sie die Stufen hinunter, hin und wieder knarrte eine.

Unten im Wohnzimmer rief Georg verdutzt: »Du? Warum sitzt du denn im Dunkeln?«

Brigitte saß in ihrem Lieblingssessel am Fenster. »Ich hab' nachgedacht.«

»Muß man dazu das Licht ausmachen?« fragte er lächelnd.

»Ich hab' Lust auf ein Gläschen Williamsbirne. Du auch?«

»Wo kommst du her?« Mit ruhiger Stimme.

»Wieso?« fragte er verblüfft.

Sie antwortete nicht, sah ihn nur an.

»Ich – ich komme, äh – habe ich nicht gesagt, wo ich hingegangen bin?«

»Du hast vergessen, was du gesagt hast? Ein plötzlicher Anruf . . . Jubiläum eines Kollegen . . . erinnerst du dich nicht?«
Er blickte sie betroffen an, meinte lahm: »Na ja, dann – also . . .«
»Hast du nun Jubiläum gefeiert – oder nicht?«
Er trat einen Schritt näher und murmelte erstaunt: »Was ist denn das plötzlich für ein Ton?«
»Hör auf zu lügen, es paßt nicht zu dir. Da!« Sie warf ihm das Kuvert zu. Er fing es auf, aber einige der Fotos fielen auf den Boden.
Draußen in der Diele kniete Martin vor dem Schlüsselloch und flüsterte: »Jetzt hat sie ihm gerade die Fotos hingeknallt. Mann, o Mann, das gibt 'ne Wucht . . . Schade, jetzt kann ich ihn nicht mehr sehen.«
Georg war mit dem Kuvert zum Schreibtisch gegangen, machte die Lampe an und fragte: »Darf ich deine Brille aufsetzen? Was ist denn das? Was sind denn das für Fotos? Wo kommen die denn her?«
Erstaunlich, dachte sie, ich bin immer noch ziemlich ruhig. Sie war den ganzen Nachmittag im Schlafzimmer geblieben, war auch nicht zum Abendbrot hinuntergegangen. Inge hatte an die Tür geklopft, sie solle doch nicht in den Hungerstreik treten, es lohne sich nicht für einen Mann. Sie selbst sei zwar noch jung, aber *das* wüßte sie bereits.
»Stimmt«, hatte Brigitte durch die Tür geantwortet. »Aber heute lohnen sich mir auch die Kinder nicht. Der Kühlschrank ist voll, eßt und trinkt – und räumt ab, ja? Ich sehe euch alle morgen früh, okay?«
Später, nachdem alle Schritte auf der Treppe verstummt waren, hatte sie sich dann ins dunkle Wohnzimmer zurückgezogen. Es gab viel nachzudenken und vieles ganz neu zu überdenken; ruhig auch mal laut denken.
Aber es war nichts dabei herausgekommen. Sie *kapierte* es

einfach nicht. Und trotzdem, was hatte Martin, der Bosnik-kel, gesagt? Das Beweismaterial ist lückenlos.

Da hatte sie sich festgefahren und einfach nur im Dunkeln gesessen und gewartet. Ja, sie war ziemlich ruhig, aber es war ihr übel.

Georg richtete sich auf, nahm die Brille ab und rief: »Wer hat diese Fotos gemacht?«

»Detektive.«

»Was?« rief er aufgebracht. »Du hast Detektive hinter mir hergeschickt?«

»Deine Kinder. Sie haben dich in den letzten Wochen ›be-schattet‹, wie sie das nennen. Die Fotos sind die Früchte ihrer Bemühungen. Gefallen sie dir?«

Er warf sie heftig auf den Schreibtisch. »Allesamt unscharf, samt und sonders überbelichtet. Stümperarbeit!«

Brigitte wurde blaß, jetzt kam doch langsam die Wut. »Ist das alles, was du zu sagen hast?«

»Worauf wartest du?«

War so etwas möglich? Verstockt und hartgesotten – Georg? Sie klammerte die Finger um die Armlehnen ihres Sessels, nicht die Würde verlieren, sachlich bleiben, nicht keifen.

»Darauf, daß du dafür eine plausible Erklärung hast – die ich mir leider nicht vorstellen kann. Deshalb habe ich hier im Dunkeln gesessen und alle Möglichkeiten erwogen, aber ich kann's nicht, bei aller Phantasie nicht.«

»So, so«, sagte er langsam. »Und dabei *hast* du Phantasie.«

»Nein, denn da ist etwas, das . . . das ausschließt, daß du mit Fräulein Stoop nur an deinen Übersetzungen gearbeitet hast.«

»Und das ist?« fragte er lauernd.

»Georg, sie haben gesehen, wie du aus ihrem Haus gekom-men bist, und jedesmal warst du . . . du warst erschöpft, er-hitzt und derangiert.« Langsam fügte sie hinzu: »So siehst du auch jetzt aus, und das kann ich mir nun wirklich nicht anders erklären, als daß du mit der Dame in Tuchfühlung gewesen bist.« Sie lehnte sich zurück, jetzt war's raus.

Georg wartete, bis sie ihn wieder ansah. »Erschöpft und erhitzt – vielleicht. Tuchfühlung stimmt. Aber nicht derangiert! Ich habe mich extra gekämmt, bevor ich hier hereingekommen bin.«

»Georg!«

»Her mit den Detektiven, und wenn ich sie aus den Betten holen muß.«

»Nicht nötig«, stieß sie zwischen den Zähnen hervor. »Die höre ich schon die ganze Zeit draußen in der Diele.«

»Um so besser«, sagte er, ging schnell zur Tür und riß sie auf, wodurch Martin zu Boden gestoßen wurde. »Her mit euch, allesamt!«

Sie drückten sich herein, verlegen, unsicher, trotzig. Martin rieb sich heftig die Stirn, morgen würde er da eine Beule haben.

Unwillkürlich stellten sie sich der Reihe nach auf wie in der Schule zum Appell. Georg sah jeden einzelnen an. Als er dann sprach, war seine Stimme kalt. »Ihr seid also hinter mir hergewesen als Privatdetektive, habt Fotos gemacht, mit meiner eigenen Kamera, nicht wahr? Die meisten verwakkelt, war die Aufregung so groß?«

Betretenes Schweigen. Pyjamas und Nachthemden waren nicht der ideale Aufzug für Detektive. Georg fand, daß sie alle plötzlich fünf Jahre jünger aussahen. Kinder . . .

Er wandte sich ab, sprach mit barscher Stimme: »So. Und jetzt such mal eine Platte raus, Martin.«

»Wie bitte?«

»Hast du nicht gehört? Eine Platte sollst du aussuchen, nun mal los.«

Die Hand an die knallrote Stirn gedrückt, sah der Junge hilfesuchend zur Mutter hinüber. Sie stand auf und stellte sich zu ihm.

»Was für eine Platte? Was soll das alles, Georg?«

»Ich höre doch den ganzen Tag Musik, und wo kommt die her? Aus Martins Zimmer. Also: Such eine aus, wir haben ja sogar hier unten eine hübsche Auswahl.«

Niemand rührte sich, alle vier Kinder standen da und starrten ihn an. Er zuckte mit den Achseln und ging zur Stereoanlage.

Auf einmal war Brigitte neben ihm und sagte mit leiser, harter Stimme: »Was soll der Unsinn, Georg? Laß die Kinder jetzt schlafen gehen. Was nun geschieht, geht nur uns beide an, da brauchen wir kein Publikum.«

»Ha, ha!« rief Georg laut und begann, Platten herauszuholen. »Da irrst du dich, wir brauchen *dringend* Publikum. Ich werd' schon was finden. Was gibt's denn da unter den Singles – die Beatles, ach was, längst überholt – die Abbas, nicht ideal – was denn, nichts von den Rolling Stones? Doch, natürlich, nehmen wir die da, die mag ich richtig gern.«

Die vier drückten sich unwillkürlich eng aneinander, spähten verstört zum Vater hinüber, der die Platte aufgelegt hatte. Aber bevor er den Tonarm ansetzen konnte, hielt Brigitte seine Hand fest und flüsterte ihm ins Ohr: »Hast du getrunken, Georg? Es macht ja nichts, ich will nur nicht, daß du . . . vor den Kindern . . .«

»Getrunken?« Er hauchte sie mit weitgeöffnetem Mund wie ein Tiger an. »Zufrieden? Nur Johannisbeersaft, den ganzen Abend über.« Er stieß sie zur Seite und rief: »Platz! Ich brauche Platz. Alle weg und an die Wand. Inge, komm mal her! Na, los schon.«

Das Mädchen näherte sich zögernd, aber mutig – eine Frau hat genausoviel Mumm wie ein Mann. Georg setzte den Tonarm an, zog seine Jacke aus, schleuderte sie in die Ecke und zerrte seine Tochter in die Mitte des Zimmers. Der Rock setzte dröhnend ein, und Georg begann zu »rollen«. »Los, Mädchen, oder kannst du nicht?«

Sein Körper wand sich, die Füße zuckten. Er drehte sich mit Schwung und Schmiß. Inge konnte gar nicht anders, begann zu wedeln und zu schlenkern, aber Georg war bei weitem verwegener, geradezu tollkühn.

Brigitte, mit den anderen an die Wand gedrängt, starrte genau wie sie mit offenem Mund, fassungslos, betäubt von der gellenden Musik wie von dem wilden Gewirbel um sie herum. War das wahrhaftig Georg? Der konnte doch gar nicht tanzen, das hatte er wenigstens immer behauptet, all die Jahre hindurch, nicht mal einen Walzer, nichts. Und auf einmal wand er sich wie ein Aal, die rechte Hand hoch in der Luft, die linke ekstatisch auf den Magen gedrückt. Er drehte sich wie ein Kreisel, warf Inge wie zum Spaß über die Schulter, wedelte weiter . . .

Bis die Platte zu Ende war. Brigitte lief schnell zur Stereoanlage und hob den Tonarm ab. Schweratmend stand Georg vor ihr.

»Na?« brachte er mühsam hervor. »Wie . . . findest du mich?«

Er hielt sich an einem Stuhl fest und japste: »Ich hab' fünf Kilo . . . abgenommen, ist euch das . . . überhaupt nicht aufgefallen? Ihr seid mir feine Detektive.« Er rang noch immer nach Atem. »Was ist am sechsten September?«

»Am sechsten September? Unser Hochzeitstag«, sagte Brigitte.

Er wischte sich den Schweiß vom Gesicht. »Seit einundzwanzig Jahren muß ich mir anhören, daß ich ein Tanzmuffel bin. Da hab' ich mir gedacht: Mach ihr ein Geschenk, daß ihr die Augen übergehen.«

»Fräulein Stoop?« stammelte Brigitte. »Aber wieso – ich verstehe nicht . . .«

»Ursula Stoop, perfekt in vier Sprachen, übersetzt meine Bücher *und* – ist nebenbei deutsche Meisterin im Gesellschaftstanz, Spezialität Rock'n'Roll. Entschuldige, ich muß mich jetzt hinsetzen, hab's eben extra gut machen wollen.« Er fiel in den Stuhl am Schreibtisch, fächelte sich mit dem Fotokuvert Luft zu. »Sie hat's ganz umsonst gemacht, weil ihr die Idee gefiel, eine Frau nach einundzwanzig Jahren mit so was zu überraschen. Sie will sogar am sechsten September heiraten, so sehr hat ihr das gefallen.«

Brigitte und die Kinder sahen ihn groß an. »Sie heiratet?«

»Ihr Verlobter war manchmal dabei, wenn wir übten. Netter Mensch. Manchmal bin ich mit ins ›Boccaccio‹ gegangen, mit ihr oder auch mit beiden, das ist ein Nachtlokal, weißt du . . .«

»Ich weiß«, flüsterte Brigitte, die Augen voll Tränen.

»Mensch, Vater . . .«, stotterte Inge.

»Ich finde das einfach klasse«, sagte Horst. Die anderen beiden nickten heftig. Sie standen alle in einem kleinen Häufchen beisammen, trauten sich nicht näher.

»Jetzt hab' ich mich auch dran gewöhnt, unter Leuten zu tanzen. Gar nicht so einfach für einen alten Knacker. Aber nun fühl' ich mich sicher, Brigitte. Und am sechsten September gehen wir ins ›Boccaccio‹, du und ich, damit du dich überzeugen kannst.«

Er streckte die Arme nach ihr aus. Sie lief zu ihm und setzte sich auf seinen Schoß, verbarg ihr Gesicht an seinem Hals.

»Lieber nicht«, sagte er und versuchte, sie etwas von sich weg zu halten. »Ich bin immer noch ganz . . .«

»Ich weiß«, sagte sie und ließ sich nicht stören. »Erschöpft, erhitzt und derangiert.«

Diese Geschichte hatte keinen Prolog, dafür folgt hier der Epilog:

Weder Klaus Schwarzkopf, der den Georg spielte, noch ich konnten »moderne« Gesellschaftstänze tanzen, das heißt, wir hatten noch nie allein »unser Ding« gedreht, kannten nur bescheidenes, paarweises Tanzen, eben solche Tänze, die man zu zweit tanzt: English-Waltz, Tango, Foxtrott – schon beim Niederschreiben fühle ich mich mit einem Schlag wie im Rollstuhl.

Wir dachten »damals«, diese Musik und natürlich das Zusammentanzen seien sexy – ich denke das, zu meiner Schande, immer noch –, aber da irre ich mich wohl. Auf jeden Fall mußten wir beide, Klaus und ich, Tanzstunden nehmen. Bei einem Tanzlehrer »mit Humor«, das war meine dringende Empfehlung. Den würde er brauchen, wenn er mir auch nur den einfachsten »Rock« beibringen sollte, denn im Film – anders als in meiner Geschichte – sieht man uns beide am Hochzeitstag einen aufs Parkett legen.

Klaus hatte Einzelstunde. Ich natürlich auch, und wir erkundigten uns während der Drehzeit – unser Tanz sollte ganz zum Schluß gedreht werden – heimlich beim Tanzlehrer, wie das so gehe mit dem anderen ... Wenn ich fragte, lachte er immer – ein Lehrer mit Humor – und sagte mir, was ich hören wollte: daß nämlich Klaus nur über seine Bei-

ne falle, während ich natürlich zur Showtänzerin geboren
sei.

Dasselbe sagte er Klaus, nur umgekehrt. Als dann der letzte
Drehtag kam und wir Farbe bekennen mußten, legte Klaus
ein Glanzstück hin, während ich den Regisseur anflehte, mir
die Kamera so gut als möglich vom Leibe zu halten.

Das tat er denn auch.

Im Jahre 1982

Diese Geschichte hat einen kurzen Prolog, dafür aber einen Epilog im Anschluß. Sie zeigt, daß man in der Wahl seines Schwiegersohnes nicht vorsichtig genug sein kann – und auch dann muß man auf alles gefaßt bleiben.

Gut, daß sie einen Garten hinter dem Haus hatten! Man brauchte zwar einen Gärtner zweimal die Woche, aber es lohnte sich. Was zum Beispiel würden sie heute ohne Garten machen? Das Wohnzimmer war doch viel zu klein. Cordula ging über den Rasen von Tisch zu Tisch und verteilte Zigaretten und Streichhölzer. Acht runde Tische, gemietet, unter acht hübschen Tischdecken, auch gemietet, zweiunddreißig Stühle und am Rand des Rasens ein Buffet, darauf bereits Teller in allen Größen und Gläser, alles gemietet.

Eine junge Person in weißer Schürze trat aus dem Haus: Fräulein Zickel, ebenfalls gemietet.

»Hier bitte. Guten Tag, Fräulein . . .?«

»Zickel. Tag, Frau Doktor.«

»Ich nehme an, Sie wissen Bescheid, wie es zugeht bei solchen Veranstaltungen, nicht wahr? Sind Sie immer als Aushilfe unterwegs?«

»Gestern hatt' ich 'ne silberne Hochzeit, morgen ist 'ne Trauerfeier dran, das hält einen jung.«

»Also dann, Fräulein Zickel: Wir erwarten eine Menge Leute, lauter Ärzte, Kollegen meines Mannes, mit ihren Frauen. Sie öffnen die Tür, sagen die Namen an – recht deutlich bitte –, und anschließend schweben Sie über dem Ganzen als guter Geist, ja? Dann kann ich so tun, als sei ich auch ein Gast, anstatt den ganzen Abend über nervös herumzuschnüffeln, verstehen Sie mich? Ich bin etwas aufgeregt bei solchen Veranstaltungen.«

»Na, dann geh'n Se man rein ins Haus und rauchen Se 'ne Zigarette, ich mach' das schon. Die Mahlzeit wird geliefert?«

»Geliefert, vom Hotel Monopol. Mit Personal. Die müßten eigentlich schon hier sein, Punkt sechs war ausgemacht.«

»Die sind immer pomadig, die vom Monopol, aber es lohnt sich.«

Durch die offene Glastür hörte Cordula das Telefon im Wohnzimmer klingeln.

»Hallo? . . . Ach Günther! Wie geht's euch . . . Wo bist du denn? . . . Wieso in einer Telefonzelle? Ist was mit Judy? . . . Na, dann ist es ja gut . . . Moment mal, du rufst gerade in einem kritischen Augenblick an . . .« Sie rief in den Garten hinaus: »Fräulein Zickel, zählen Sie doch bitte alles nach. Zweiunddreißig Personen, ja? . . . Entschuldige, Günther, aber heut' abend ist unsere Party, der halbe Ärztekongreß kommt . . . Hans ist eben erst nach Hause gekommen, hatte noch schnell einen akuten Blinddarm . . . Was? . . . Nein, Günther, unmöglich, ich hab's dir doch gerade gesagt, wir haben jetzt keine Zeit, in einer halben Stunde kommen die ersten Gäste . . . Sag's mir doch am Telefon! . . . Also gut, wenn du wirklich in der Telefonzelle an der Ecke bist, dann komm, so schnell du kannst . . . und höchstens auf fünf Minuten.«

Sie legte auf und rief in den Garten hinaus: »Fräulein Zickel! Wenn es in ein paar Minuten klingelt, dann ist das noch kein Gast, sondern mein Schwiegersohn. Ich mache ihm selber auf.«

Sie ging durch den Korridor und öffnete die Tür zum Badezimmer. »Ich komm' nicht rein, Hans, meine Haare! Zuviel heißer Dampf. Dann seh' ich aus wie Gina die Löwenbraut. Stell doch mal die Dusche ab!«

»Ich hör' dich auch so.«

»Du mußt jetzt raus, die kommen bald.«

»Ich weiß, aber es ist so schön hier.«

»Du, Günther hat eben angerufen. Er kommt her, jetzt gleich. Irgendwas muß passiert sein.«

»Was mit Judy?«

»Er behauptet, nein, aber er kommt ohne sie, muß mich unbedingt sprechen, sofort, es *muß* sein.«

»Geht das jetzt schon los? Die sind doch noch nicht ein Jahr verheiratet! Schmeiß ihn raus, die beiden müssen sich allein schlagen und vertragen.« Er stellte den Wasserstrahl ab. »Gib mir ein Handtuch, ja? Laß das gar nicht erst einreißen, wir sind keine Eheberatungsstelle.«

Sie seufzte. »Du weißt ja, wie er ist. Man kann ihn nicht abwimmeln. Ein verrücktes Huhn. Wie Judy das aushält!« Es klingelte. »Da ist er schon. Mach dich in Ruhe fertig. Wenn's brenzlig wird, ruf' ich dich.«

Sie ging schnell zur Haustür, öffnete und wurde von der stürmischen Umarmung des jungen Mannes beinah umgeworfen.

»Laß mich los, Günther. Du stinkst!« Er hielt sie fest, und sie bog sich, so weit sie konnte, nach rückwärts. »Wann ist dein Hemd zum letztenmal gewaschen worden? Voriges Jahr?«

Er gab sie frei und sah beleidigt an sich hinunter. »Mein Hemd? Dieses schöne Hemd? Waschen? Sieh doch mal die Farbe an, dieses Lila, so was wäscht man doch nicht!«

Sie ging voran ins Wohnzimmer. »Na, wenn's Judy aushält . . . Setz dich! Möchtest du was trinken?«

»Nichts.« Er fiel ihr zu Füßen, die Beine in der Lotusposition gekreuzt. »Ich will dich nur anschauen, das ist besser als jeder Drink.«

»Günther . . .«

»Ich weiß. Keine Zeit. Entschuldige, geliebte Mama, aber ich mußte einfach zu dir kommen. Ich muß mit dir reden. Nur mit dir.«

»Also?«

Er senkte den Kopf und lächelte geheimnisvoll in sich hinein, murmelte: »Wie soll ich's dir bloß beibringen.«

»Indem du's *sagst*«, forderte sie ihn ungeduldig auf.

Aber er konnte noch nicht, wiegte den Oberkörper langsam hin und her. Cordula ermahnte sich zu Verständnis, Geduld, Einfühlung.

»Ist *doch* was mit Judy? Nun sag schon, Junge – oder ich schmeiß dich raus.«

Er seufzte, aber nicht bedrückt, eher selig. »Judy geht es prima, aber ich bin weg von ihr.«

»So«, sagte sie. Eigentlich hatte sie es erwartet, und nun war es passiert. So ging es eben zu heutzutage, nichts Besonderes. Die Tochter verliebt sich, die Eltern halten den Mund, sie heiratet, man weiß nicht, ob man sich freuen soll oder nicht – ist auch egal, solange *sie* glücklich ist –, und dann ist es plötzlich aus. Und er sagt, es gehe ihr »prima«. Ihm scheinbar auch.

»Es hat so kommen müssen«, meinte er versonnen.

Eben, dachte sie.

Und trotzdem, es ist schlimm, daß keiner dem anderen nachtrauert. Oder ist es besser? Judy hatte nicht angerufen, vielleicht ging's ihr wirklich prima. Laut sagte sie: »Mußte es das? Und warum?«

»Weil ich nun mal nicht – weil wir nicht zusammenpassen, Mama.«

Nicht zusammenpassen! Wer paßt schon zusammen auf die Dauer? Harte Arbeit, das Zusammenpassen.

»Und was sagt Judy dazu?«

»Sie findet das auch.«

»Auf einmal? Das ist aber sehr plötzlich über euch gekommen. Zehn Monate wart ihr doch ein Herz und eine Seele.

Oder irr' ich mich? Warum habt ihr euch getrennt? Vorige Woche war doch noch alles in Butter.«

Er lächelte wieder, ein abgeklärter Buddha. »Ja, vorige Woche! Das ist eine Ewigkeit her, Mama.«

Cordula riß der letzte Geduldsfaden. »Ich will wissen, warum du mir das ausgerechnet jetzt eröffnen mußt«, rief sie, schrie es beinah. »Damit ich mich richtig wohl fühle während dieser verdammten Party?«

»Mama, ich bin diese Minute ausgezogen. Mein Koffer ist unten auf mein Motorrad geschnallt. Wo soll ich denn hin? Du hast mich doch gern, oder? Darf ich ein paar Tage bei euch in dem Zimmer über der Garage wohnen? Nur, bis ich was gefunden habe. Es wäre so wichtig für mich, nahe bei dir zu sein. Du bist doch eine Frau, die alles versteht, eine Frau mit Humor . . .«

»Strapazier ihn nicht, den Humor, sonst vergeht er mir – und sag mir jetzt, was passiert ist, sag es in dürren Worten!«

»Ich hab' jemand anderen getroffen.«

»Hab' ich mir fast gedacht.«

»Und da ist's mir wie ein elektrischer Schlag durch die Glieder gefahren.«

»Der gute alte elektrische Schlag.«

»Wie Schuppen ist's mir plötzlich von den Augen gefallen.«

»Die sind berühmt, die Schuppen.« Den kann ich anpflaumen, soviel ich will, der hört mich gar nicht, dachte sie.

»Auf einmal war's mir klar: Da steht die Liebe meines Lebens.« Er blickte an ihr vorbei, irgendwohin in die Ferne, still verklärt, und Cordula sah ihn lange an. Beinah tat's ihr leid, was sie zu sagen hatte.

»Günther. Ich hätte wirklich nicht geglaubt – du bist doch schließlich zweiundzwanzig Jahre alt –, ich hätte nie geglaubt, daß du noch so ein Kindskopf bist.«

Sein Blick kam schnell wieder zu ihr zurück. »Kindskopf?«

rief er entsetzt. »Sieh mich doch an! Merkst du denn nichts? Ich bin zum erstenmal erwachsen, ich weiß zum erstenmal, wo ich hingehöre. Bis jetzt habe ich so gelebt – na, wie meine Eltern und meine Freunde. Ich dachte immer, das gilt auch für mich. Aber jetzt weiß ich auf einmal, daß wir im Jahre 1982 leben . . .«

»Was hat denn das damit zu tun? Man verliebt sich in jemand anderen – das hat's doch schon immer gegeben.«

»Nein!« rief er mit lauter Stimme. »Das hat's noch nie gegeben, das ist erst heute möglich, im Zeitalter der totalen Emanzipation! Nicht nur der Frauen, auch der Männer.«

»Emanzipation der Männer? Du armer Irrer! Willst du mir etwa einreden, Judy hat dich unterdrückt?«

»Aber nicht doch«, sagte er milde, als spreche er zu einem Kind. »*Darum* geht es nicht. Judy ist ein Engel. Sie weiß alles, und sie ist damit einverstanden, daß es . . . daß es aus ist.«

»Und warum hat *sie* es mir nicht erzählt? Ich bin doch ihre Mutter, und wir stehen doch gut zueinander – oder irr' ich mich wieder?«

Einen Augenblick lang verlor er seine Abgeklärtheit und sah beinah verlegen aus. »Sie sagt, sie hätte es lieber, wenn *ich* es dir erkläre.«

Seltsam, dachte Cordula, warum wohl? Sie grübelte und sagte dann bedächtig: »Moment mal, so schnell schießen die Preußen nicht, auch nicht im Jahre 1982. Wenn's euch recht ist, dann nehme ich jetzt die Sache in die Hand. Das willst du doch, nicht wahr? Deshalb bist du doch hier, abgesehen von dem Zimmer über der Garage. Du willst doch Rat und Tat, stimmt's? Also, mein Rat ist: Zieh meinetwegen ein, und wart erst mal ab. Meine Tat ist ein Besuch bei der Liebe deines Lebens, und zu der sage ich dann: Hören Sie mal zu, liebes Fräulein . . .«

»Es handelt sich nicht um ein Fräulein.«

»Also dann: Hören Sie mal zu, liebe Frau Soundso . . .«

»Es handelt sich nicht um eine Frau Soundso.«

»Nicht?« Sie sah ihn verständnislos an. »Ja, um wen handelt es sich denn dann?«

»Es handelt sich um den Oberkellner vom Hotel Monopol.« Ruhig und gelassen gesprochen. Trotzdem war Cordula nicht sicher, ob sie richtig gehört hatte.

»Oberkellnerin?« fragte sie vorsichtig.

»Oberkellner«, sagte Günther mit fester Stimme.

Sie saß ganz still und sah ihn an. Ich hab' jetzt einen völlig verblödeten Ausdruck im Gesicht, dachte sie, aber ich krieg' ihn nicht weg. Der sitzt da, der Junge, und feixt so fromm wie die Katze, die einen Kanarienvogel verschluckt hat. Was hat er vorhin gesagt? Ich sei eine Frau mit Humor. Wo ist er denn, mein Humor?

»Da brat mir einer 'n Storch«, sagte sie so gelassen wie möglich.

Günther sprang auf und begann im Zimmer herumzutanzen. »*Der* könnte das«, schrie er begeistert. »Mein Wolfgang könnte dir einen Storch braten, butterweich, mit Sauerrahm und Apfelmus.«

Sie blieb sitzen und schaute dem kreiselnden Derwisch zu. Aufstehen, ermahnte sie sich, aufstehen und ihm eine runterhauen! Statt dessen rief sie mit schwacher Stimme: »Hans!« Aber der hörte sie nicht und der Singende, Hüpfende, die Arme wild um sich Schwenkende schon gar nicht.

In diesem Augenblick sah sie zwei männliche Gestalten, die einen Rollwagen vor sich herschoben, durch den Garten eilen. Das Personal vom Hotel mit dem Essen. Na, endlich – beinah hatte sie's vergessen, hatte alles vergessen, einfach ausgehakt.

Ein dritter Mann erschien, rief den anderen etwas zu, drehte sich um, klopfte an die offene Glastür und trat über die

Schwelle: ein großer, junger Mensch in tadellosem Smoking, mit blondem Haar und einem Mund voll weißer Zähne wie ein Filmschauspieler aus der Stummfilmzeit.

»Gnädige Frau, verzeihen Sie bitte die Verspätung. Wir sind schon am Auspacken und richten uns in der Küche ein. Verlassen Sie sich drauf, alles wird zur gegebenen Zeit . . .«

Weiter kam er nicht. Der Derwisch hielt mitten im Sprung inne und schrie: »Wolfgang! Liebling! Du servierst hier? Nein, so was!« Und zu Cordula, in Ekstase: »Das ist er, das ist mein Wolfgang! Was sagst du nun? Kannst du's verstehen?«

Sie blickte stumm von einem zum anderen. »Hans!« rief sie noch einmal und noch schwächer, während der junge Mann im Smoking dem hochroten Günther erst einen verblüfften, dann einen abweisenden Blick zuwarf und mit erhobener Stimme fortfuhr: »Gestatten Sie, gnädige Frau, mein Name ist Brettschneider, Hotel Monopol. Meine beiden Kellner heißen Karl und Eduard . . .«

Günther war herangetreten und griff nach seiner Hand, die ihm aber sofort entzogen wurde. »Wir servieren Weißwein, Puilly Fuissé Jahrgang 79 zur Spargelcremesuppe und Châteauneuf du Pape 76 zum Roastbeef, wenn Ihnen das recht ist«, verkündete Herr Brettschneider mit strenger Stimme, aber Günther ließ sich nicht so schnell abschütteln.

»Wolfgang!« plädierte er vorwurfsvoll. »Sag mir doch wenigstens guten Tag!«

Er heimste denn auch ein blendendes Lächeln und ein gemurmeltes »Nicht jetzt, Günther, später« ein sowie den Zusatz: »Ich hab' ein Abendessen, zweiunddreißig Personen, am Hals.« Zu Cordula gewandt, sagte er mit eleganter Verbeugung: »Entschuldigen Sie, gnädige Frau, ich muß jetzt in die Küche.« Er drehte sich um und rief in den Garten hinaus: »Karl! Eduard! In die Küche, aber schnell.« Voll kulinarischer Sorgen, aber kerzengerade, schritt er aus dem Zimmer.

Günther sah ihm entzückt nach. »Was sagst du jetzt, Mama? Diese Haltung – wie ein Großfürst, findet du nicht? Und er serviert gerade heute bei dir! Mein Gott, mein Gott, jetzt ist mir auch klar, warum mich eine innere Eingebung heut' abend hierher getrieben hat. Ich bin dein einunddreißigster Gast, Mama.«

Cordula fand plötzlich ihre Stimme wieder: »Bist du wahnsinnig? Oder bin *ich* wahnsinnig? Du willst bei uns über der Garage wohnen, weil du Judy sitzengelassen hast – schon mal eine Frechheit! –, sitzengelassen wegen eines Kerls, der jetzt auch noch bei uns im Garten herumgeistert. Jetzt hat's aber bei mir im Karton gebrummt. Erstens: Den werf' ich sofort raus, das Monopol soll mir jemand anderen schicken.«

Sie lief zum Telefon, riß den Hörer hoch. »Und zweitens: Du verläßt auf der Stelle das Haus – wo ist die Nummer vom Monopol? – und kommst mir nie mehr, hörst du, nie mehr unter die Augen . . .«

Es klingelte.

Fräulein Zickel öffnete die Tür und meldete:

»Herr Professor Sommerau und Frau.«

Cordula legte den Hörer zurück auf die Gabel und senkte den Kopf. Als sie ihn wieder hob, strahlte sie über das ganze Gesicht.

»Mein lieber Ludwig, liebste Renate, wie schön, euch zu sehen – äh, das ist mein Schwiegersohn Günther Greber, er geht gerade. Also, auf Wiedersehen, Günther.«

»Sie wollen gehen?« rief Frau Sommerau. Sie war kinderlos, aber trotzdem – oder vielleicht deshalb – jederzeit bereit, der Jugend vorurteilsfrei gegenüberzutreten. »Wie schade! Wir wollten doch immer schon Judys Mann kennenlernen.«

»Ich würde ja auch sehr gern bleiben«, meldete Günther bescheiden an. »Aber . . .«, er zeigte auf seine Jeans und das feuchte lila Hemd.

»Das macht doch nichts«, rief Frau Sommerau. »Heutzutage! Da gibt's doch die alten Tabus nicht mehr, nicht wahr, Ludwig?« Ihr Mann nickte und lächelte nicht ganz so überzeugend.

Günther sah beide verklärt an. »Genau das hab' ich gerade Mama zu beweisen versucht. Nicht wahr, Herr Professor, heute lebt man nach ganz anderen Begriffen. Man ist ein freier Geist. Das ist was ganz anderes als ein Freigeist, denn in meinem ›Geist‹, da ist der Körper mit inbegriffen, ein Freigeistkörper, verstehn Sie, was ich meine?«

Der Professor blinzelte. »Nicht ganz, junger Freund, meine Spezialität sind die Nieren.«

Seine Frau drehte ihm den Rücken zu. »Mir gefällt das sehr, was Sie da sagen, Herr Gerber – oder darf ich Sie Günther nennen? Freigeistkörper . . . Erzählen Sie mir doch mehr darüber! Ich bitte dich, liebe Cordula, laß ihn doch bleiben, und setz ihn an meinen Tisch. Ich sag' ja stets, man lernt immer wieder von der Jugend, und nur von der Jugend . . .«

Fräulein Zickel rief: »Medizinalrat Wetterli und Frau.«

Cordula setzte sich in Bewegung. »Liebe Frau Wetterli, Herr Medizinalrat – das ist aber eine Freude! Sie kennen ja Professor Sommerau und seine Frau. Und das hier ist mein Schwiegersohn Günther Greber.« Niemand merkte, daß sie bei den letzten Worten Mühe hatte, nicht mit den Zähnen zu knirschen.

Der junge Mann warf ihr eine Kußhand zu und folgte Frau Sommeraus einladender Hand in eine entfernte Ecke, wo er ihr zu Füßen fiel.

Punkt sieben. Die Haustür ging pausenlos auf und zu, Gerda Zickel hatte Mühe, die Namen auseinanderzuhalten. Daß Ärzte immer so pünktlich sein müssen, dachte Cordula besorgt. Ob das Essen rechtzeitig fertig sein wird? Wie aufs Stichwort sah sie in diesem Augenblick Wolfgang-Liebling und die beiden anderen Kellner den Rollwagen vorsichtig über den Rasen schieben. Na, wenigstens *das*, brummte sie im stillen, tüchtig ist er. Und da ist ja auch endlich Hans, Gott sei Dank!

Der begrüßte gerade Sommerau. »Ist deine Frau nicht mitgekommen, Kollege?«

»Doch, doch. Da drüben sitzt sie und hängt an den Lippen deines Schwiegersohns. Ein origineller junger Mann.«

Hans murmelte mit gerunzelter Stirn: »Durchaus, ein seltenes Exemplar«, eilte hinüber und küßte Frau Sommerau die Hand. »Laß dich nicht stören, Renate. Was trinkst du? Günther, hol doch mal ein Glas Sekt.« Und als der Junge aufsprang, fügte er leise hinzu: »Und steck dein Hemd rein.«

»Mein Hemd?« rief Günther. »Das darf ruhig raushängen. Sieh doch mal diese herrliche Farbe an. Die soll ich verstecken? Was meinen Sie, Frau Professor?«

»Ich muß schon sagen, er hat recht, Hans. Lila ist *die* Farbe für den Freigeistkörper . . .«

Hans entfloh und drängte sich zu Cordula durch, zog sie beiseite und flüsterte: »Wieso ist denn Günther noch da? Und in diesem Aufzug? Warum hast du ihn nicht abgewimmelt?«

»Ich erklär's dir. Aber nicht jetzt.«

»Ist was passiert?«

»Äh – später, Liebling. Glaube mir, es ist besser. Später!« Sie ließ ihn stehen und tauchte wieder zwischen den Gästen unter, begrüßte, umarmte, lachte und zählte heimlich jeden Neuankömmling. Jetzt schienen alle versammelt, das Zimmer war überfüllt, einige wanderten bereits in den Garten ab.

Ob sie nicht doch noch schnell ins Schlafzimmer gehen sollte und ihre Tochter anrufen? Und was sollte sie zu ihr sagen? »Judy, er hat mir alles erzählt. Dummerweise haben wir gerade eine Party.« Den Kerl im Garten würde sie natürlich nicht erwähnen. »Sonst würde ich sofort zu dir kommen, das heißt natürlich, wenn du willst. Judy, vielleicht ist es . . . äh . . . erträglicher, daß es sich um einen anderen *Mann* handelt, du bist also nicht von irgendeiner Nutte ausgestochen worden . . .« Cordulas Gedankentelefonat geriet ins Stocken. Unsinn, natürlich war Judy »ausgestochen« worden, das heißt, eben *nicht* natürlich, sondern *un*natürlich . . .

Nein, ich werde jetzt nicht telefonieren – ehrlich gesagt, ich drücke mich gern –, sonst wird draußen das Essen kalt.

Sie schlängelte sich zum Buffet durch und schlug ein paarmal kräftig auf den Gong. »Liebe Freunde, es ist serviert.«

Diese Party hätte richtig nett werden können, wenn sie es fertiggebracht hätte, der Unterhaltung zuzuhören. Medizinische Fachsimpelei war nie langweilig, es ging immer dramatisch zu: hochinteressanter Fall, Herr Kollege . . . rettender Eingriff in letzter Minute . . . oder aber unerwarteter Exitus. Man war irgendwie direkt beteiligt, sah sich selbst angeschnallt auf dem Operationstisch liegen . . .

Wenn nur der verdammte Junge nicht seine Hiobsbotschaft vor ihr ausgebreitet hätte! Vielleicht saß Judy jetzt doch zu Hause und weinte. Ob es sie ganz unerwartet getroffen hatte? Vielleicht hatte sie's schon lange bemerkt . . . *Was* bemerkt? War da was zu bemerken gewesen? Wenn ja, dann war sie, Cordula – und Hans ganz genauso –, stur und blind. Wenn nicht – was fühlt man wohl, wenn einem plötzlich gesagt wird: ›Du, ich hab' mich geirrt. Entschuldige vielmals, aber ich weiß jetzt, ich steh' nicht auf Mädchen. Hat nichts mit dir persönlich zu tun, versteht sich . . .‹

Frage: Ist es dann ein schwacher, aber immerhin doch ein gewisser Trost für eine Frau, wenn ihr Mann sie mit einem *Mann* betrügt – oder nicht? Wäre es mir weniger gräßlich, wenn Hans sich in einen Kerl verlieben würde? Hans! Großer

Gott! Der Gedanke genügte schon. Sie prustete laut los, schlug schnell die Hand vor den Mund. »Ich hab' einen Schluckauf«, stieß sie hervor und verrenkte sich zum allgemeinen Vergnügen, um ihren Wein von der »anderen« Seite des Glases zu trinken: »Stoppt jeden Schluckauf, garantiert.« Von Zeit zu Zeit spähte sie zum Sommerau-Tisch hinüber. Dieses lila Hemd! War das nicht bereits ein Zeichen? Andererseits gab's doch Typen, die sich die Haare grün färbten und die trotzdem Mädchen hatten. Ich kenn' mich überhaupt nicht mehr aus, dachte sie wütend, bin total verkalkt.

Jetzt trat der Oberkellner zum Sommerau-Tisch und schenkte Wein nach, tadellos, den linken Arm im rechten Winkel hinter dem Rücken. Günther hielt ihm sein Glas hin, der Kerl füllte es und flüsterte ihm etwas zu. Sie sah es ganz deutlich. Günther flüsterte zurück, und der Mensch sagte noch etwas und ging dann weiter, während Günther sich vor Lachen bog und all den neugierigen Gesichtern am Tisch etwas erzählte, worüber die ebenfalls lachten.

Cordula fühlte, daß sie aus ihrem schönen, neuen Kleid platzen würde, wenn sie jetzt nicht sofort etwas unternahm. Sie sprang auf, murmelte etwas von Hausfrauenpflichten und ging ins Haus, in die leere Küche. Dort stellte sie sich mit dem Rücken zur Wand, kreuzte die Arme über der Brust und wartete.

Erst lief einer der beiden Kellner herein, sah sie gar nicht, holte frische Gläser aus dem Schrank und verschwand wieder. Aber dann kam *er*, kaum sichtbar hinter einem Tablett, vollbepackt mit Tellern. Er blieb stehen und blickte sie erstaunt an. Sie rührte sich nicht, stumm und unheilschwanger.

»Gnädige Frau . . . stimmt was nicht? Sind Sie mit irgend etwas unzufrieden?«

Sie mußte erst einmal schlucken, obgleich sie sich alles genau zurechtgelegt hatte. »Allerdings.«

Kurze Pause. Er hielt immer noch das Tablett.

»Wenn Sie noch einmal ein einziges Wort an meinen Schwiegersohn richten . . .«

»Wer ist Ihr Schwiegersohn?«

»Günther Greber ist mein Schwiegersohn.«

Er reckte den Hals über die Teller, um sie besser betrachten zu können, schüttelte erstaunt und lächelnd den Kopf. »Na, so was! Günther – Ihr Schwiegersohn!«

»Wenn Sie ihn noch ein einziges Mal so . . . so anbalzen, dann . . . dann werde ich die Direktion vom Monopol informieren.« So. Das sollte doch wohl genügen.

»Ja?« meinte er interessiert.

Der Kerl stellte sich dumm. »Verstanden?« knurrte sie drohend.

»Verstanden.«

Er setzte das Tablett sorgfältig ab, trocknete sich die Hände an einer Serviette, ging schnell auf sie zu, packte sie bei den Schultern und hielt sie in eiserner Umklammerung, aus der sie sich nicht befreien konnte. Er beugte sich hinunter und verschloß ihr den Mund mit einem Kuß, der so lange dauerte, bis sie sich freigurgeln konnte: »Ich ersticke!«

Er ließ augenblicklich von ihr ab, verneigte sich höflich, den linken Arm rechtwinklig hinter dem Rücken, und wippte elegant aus der Tür. Cordula fiel auf einen Küchenstuhl.

Kurz darauf ging die Tür wieder auf, Hans erschien auf der Schwelle und sah sich suchend um.

»Da bist du ja«, rief er ungehalten. »Was machst du denn hier? Alle fragen nach dir. Du stehst einfach auf, läßt deine Gäste im Stich und sitzt hier in der Küche herum. So was kann man doch nicht machen!«

»Oh, doch«, sagte sie langsam und noch etwas benommen. »Da irrst du dich. Im Jahre 1982 kann man – alles.«

Dies war eine wahre Geschichte. Sie widerfuhr einer Freundin von mir, die sich lange nicht von diesem Schreck erholte. Dabei war sie gewarnt worden: Nachdem sie ihren zukünftigen Schwiegersohn, einen besonders ansehnlichen und liebenswürdigen jungen Mann, unserem gemeinsamen Freund Noël Coward während einer Party vorgestellt hatte, nahm sie dieser, als er sich verabschiedete, zur Seite und sagte langsam und eindringlich:

»Meine Liebe, der junge Mann ist ganz reizend, aber sei dir über eines im klaren: Er ist mit Lavendel umhäkelt.«

»Was ist er?« rief sie verständnislos. »Was soll das bedeuten ›mit Lavendel umhäkelt‹?«

»Denk mal gut nach, was das bedeuten könnte«, sagte er, legte den Finger seitlich an die Nase – und ging.*

---

* Noël Coward war für seine originellen Metaphern berühmt. Viele, auch die obige, sind in den englischen Sprachschatz eingegangen. Im Original hieß sie: »He is stitched with lavender.«

Mutter hat recht

Im Jahre 1974 drehte ich eine amerikanische Fernsehserie in Nizza.

Eines Abends, als die Sonne schon tief über dem Hafen stand und wir gemeinsam auf die letzte Aufnahme des Tages warteten, klimperte es plötzlich aus einem benachbarten Haus. Jemand spielte Klavier. Erst Tonleitern, dann Czerny-Übungen, die mir aus meiner Kindheit in langweiliger Erinnerung geblieben waren. Dazwischen hörte man das ungeduldige Mahnen einer Frau, ohne Zweifel der Klavierlehrerin, und das trotzige Aufbegehren einer Jungenstimme.

Mein Partner hörte aufmerksam zu, lächelte, nickte vor sich hin.

»Das erinnert mich an meine Schwiegertochter. Die war Klavierlehrerin . . .«

»Ja?«

»Die hatte mal einen Schüler . . .«

»Ja?«

»Das war eine seltsame Geschichte.«

»Wieso? Was ist da passiert?«

Und er erzählte es mir.

Viele breite Stufen führten hinauf zum Hauptportal der Musikhochschule. So schwebte es hoch, riesig und würdig über den Passanten, die vorbeihasteten, ohne aufzuschauen. Von Zeit zu Zeit liefen ein paar Menschen die Steintreppen hinauf, die meisten noch jung, mit Instrumentenkästen unterm Arm.

Die kleine Frau im Regenmantel mit der Plastikhülle um den Kopf und der Einkaufstasche am Arm zögerte, bevor sie den Fuß auf die erste Stufe setzte. Sie machte täglich einen Umweg, um hier eine kleine Weile stehenzubleiben und andächtig hinaufzuschauen, aber sie hatte noch nie oben das Portal durchschritten. Auch nicht damals, vor einem Jahr, als Richard den Schubert-Preis gewonnen hatte und damit das Stipendium für die Hochschule. Hier, an dieser Stelle, hatte sie mit ihm gestanden, Hand in Hand, und mit vor Aufregung zitternder Stimme gesagt: »Mach's gut! Ich komm' nicht mit. Was soll ich denn da? Du wirst dich schon zurechtfinden.«

So hatte das angefangen. Sie hob den Kopf, Regentropfen prasselten ihr ins Gesicht. »Also los«, sagte sie laut und stieg die Stufen hinauf.

In der Vorhalle, gleich neben der Tür, saß ein Fräulein hinter dem Schreibtisch mit dem Schild AUSKUNFT.

Sie blieb atemlos neben der Tür stehen – das sind nur die Stufen, sagte sie sich, ich bin ganz ruhig – und wartete ein paar

Sekunden, bevor sie fragen konnte: »Bitte, wo finde ich Fräulein Grüter? Christiane Grüter.«

»Ihr Name?«

»Moss. Mein Sohn Richard hat Unterricht bei Fräulein Grüter, Klavier für Fortgeschrittene.«

»Zweiter Stock. Studio neunundzwanzig.«

Frau Moss zwängte sich in den Fahrstuhl, eingepfercht zwischen Studenten und Instrumenten. Im zweiten Stock stieg sie aus, sah den jungen Leuten nach, die lachend und schwatzend den langen Gang hinunterwanderten. So viele Hoffnungsvolle, dachte sie, und alle haben Talent und üben, üben, tagsüber hier und dann sicher auch noch zu Hause wie mein Richard. Aber vielleicht dürfen die daheim richtig laut spielen und nicht nur ganz leise wie bei uns, damit die Nachbarn sich nicht immer beklagen. Obwohl Richard sagte: »Macht nichts, Mozart konnte sogar mit einem grünen Tuch über den Tasten spielen. So was schult doppelt so gut.«

Wo war nun Studio neunundzwanzig? Sie blickte ratlos umher. Ah, da war ein Pfeil, drüben an der Wand: STUDIOS 15–40. Sie ging schnell den Korridor entlang – und zuckte erschreckt zusammen, als ein unsichtbarer Lautsprecher dröhnte: »Quartett drei a ins kleine Auditorium, bitte beeilen Sie sich . . . Professor Franz erwartet den Chor in der Aula . . . Richard Moss zu Fräulein Grüter Studio neunundzwanzig . . .«

Sie nickte grimmig, lief noch schneller. Sie war auffallend klein und schmächtig, aber der Schein trog. Sie war zäh und wetterfest mit ihren fünfundvierzig Jahren.

Studio neunundzwanzig. Drinnen spielte jemand Klavier. Das zweite Brahms-Konzert. Von dem kannte sie jeden Ton, obgleich sie eigentlich unmusikalisch war. Die Hand bereits auf der Klinke, legte sie sich noch einmal alles zurecht. Vor allem: Ruhe. Dann öffnete sie die Tür, ohne anzuklopfen.

Eine junge Frau saß am Flügel, mit dem Rücken zum Fenster, so daß Frau Moss zunächst nur die Umrisse sah. Eine schmale Gestalt, ein schmales Gesicht, lange, braune Haare bis zu den Schultern. »Nicht mehr jung«, hatte Richard gesagt, »vielleicht schon dreißig.«

Sie sah nicht auf, fuhr fort zu spielen, rief lächelnd: »Warum kommst du denn so spät, Liebling? Das Allegro, ich weiß. Hast du's geschafft?«

Frau Moss war an der Tür stehengeblieben. An »Ruhe« war nicht mehr zu denken. Zitternd vor Zorn stieß sie hervor: »Jawohl, ›Liebling‹ hat das Allegro geschafft – und einiges andere auch, wie ich höre.«

Die Hände der jungen Frau glitten von den Tasten, der Fuß vom Pedal. Langsam stand sie auf. Sie sah die Frau im Regenmantel auf sich zukommen – nur das geschwungene Seitenteil des Flügels trennte sie noch – und ihre Einkaufstasche heben, als wolle sie zuschlagen. Aber dann ließ sie sie doch nur geräuschvoll und respektlos auf den polierten Deckel fallen.

»Sie wissen natürlich, wer ich bin.«

Jetzt konnte sie sie auch richtig sehen. Ja, so um die dreißig, mit großen braunen Augen.

»Wollen Sie nicht Platz nehmen?« fragte die junge Frau leise.

Frau Moss überhörte die Einladung, zerrte wütend an den Bändern der Plastikhülle, die sich immer verknoteten, riß die Kappe schließlich vom Kopf und stopfte sie triefend in die Tasche. Zitternd vor Aufregung, strich sie sich heftig das wirre Haar aus der Stirn und richtete sich hoch auf, aber auch dann ging sie der jungen Frau nur bis zu den Schultern.

»Er hat's mir gestanden. Gestern abend.«

Christiane Grüter nickte und setzte sich wieder auf ihren Klavierhocker.

»Sie leugnen es also nicht?«

»Warum sollte ich es leugnen?« Die Stimme immer noch leise, beinah unbeteiligt, und Frau Moss schrie, obwohl sie sich fest vorgenommen hatte, *nicht* zu schreien.

»Ja, haben Sie denn gar kein Schamgefühl im Leib, Sie . . . Sie . . .«

»Und wofür sollte ich mich schämen?«

Die erlaubte sich Scherze! Frau Moss schlug mit der Faust auf den Pianodeckel, als hätte sie nie gelernt, daß ein Flügel etwas Heiliges war.

»Das fragen Sie auch noch? Sie haben sich mit einem Ihrer Schüler eingelassen, Sie haben ein Kind verführt . . .«

Zu ihrem Erstaunen wurde sie von der Person mit fester Stimme unterbrochen: »Frau Moss, mit sechzehn Jahren ist man kein Kind mehr. Richard schon gar nicht.«

Richard! Die sprach ganz ruhig von »Richard«, von ihrem Richard sprach die, belehrte sie auch noch über ihn! »Ich werde beim Direktor Beschwerde einlegen«, schrie sie. »Das werde ich tun, so peinlich es mir auch ist.«

Fräulein Grüter nickte. »Das steht Ihnen frei.«

Was jetzt? Jetzt – ging man am besten aus dem Studio, ohne jeden Gruß. Sie streckte die Hand nach der Einkaufstasche aus, ließ sie aber wieder sinken. Der Zorn war noch zu heiß, die Person mußte noch einiges zu hören bekommen.

»Fräulein Grüter, ist das bei Ihnen so gang und gäbe, ich meine, was Ihre Schüler anbelangt? Ist das in Ihrem Unterricht mit einbegriffen – gratis?«

»Nicht gratis, Frau Moss.« Die großen Augen sahen ihr fest ins Gesicht.

Frau Moss verschloß sich vor diesen Augen. »Hat er sein Taschengeld mit Ihnen teilen müssen?«

Die lächelte. Als hätte sie Mitleid mit ihr, mit der Mutter! »Soviel Taschengeld bekommt er nicht.«

Ah! Da konnte sie einhaken. »Für mehr reicht's nicht«, sagte sie, und ihre Stimme zitterte ganz von selbst, denn was sie zu sagen hatte, war die reine Wahrheit, nichts als die reine, traurige Wahrheit. Was wußte so eine junge Person schon, wie das Leben anderen mitspielt: »Ich bin Witwe, seit zehn Jahren. Ich gebe ihm jeden Pfennig, den ich verdiene . . .«

»Ich weiß.«

Die Augen! Unter anderen Umständen hätten die ihr sehr gefallen, diese Augen, sanfte, gescheite Augen – aber eben, die hätte ihre Augen auf den Noten lassen sollen, anstatt ihre Schüler damit zu ködern. »Ich spare mir sein Studium vom Munde ab, und da kommen Sie daher, und . . . und ruinieren ihn, ich seh's doch, wie er plötzlich vor dem Klavier sitzt und vor sich hinstarrt. Ich hab' nichts auf der Welt, nur den Jungen . . .«

Sie drückte die Faust vor den Mund, mußte, blind vor Tränen, in der Einkaufstasche unter der nassen Plastikhülle nach dem Taschentuch suchen.

Die junge Frau sah zu Boden und wartete eine kleine Weile, bevor sie ruhig sagte: »Frau Moss, glauben Sie wirklich, daß ich Richard etwas Schlimmes angetan habe?«

»Sie haben ihn verführt.«

»Nicht wirklich.«

Gott sei Dank, da war er wieder, ihr gerechter Zorn. Sie steckte das Taschentuch weg und zischte: »Wollen Sie mir weismachen, daß der Junge von sich aus . . .« Sie stockte. Es war alles zu peinlich. Nie hatte sie mit Richard über so was sprechen müssen, er wußte Bescheid, so wie das eben heutzutage war, wahrscheinlich von der Schule her, da unterrichtete man ja jetzt solche Sachen. Und das war sehr gut, man ersparte es den Eltern.

Christiane Grüter ersparte es ihr nicht, sie fuhr hartnäckig fort: »Von Verführung, wie Sie sie verstehen, kann man da, glaube ich, nicht sprechen. Er hat Ihnen ja wohl erzählt, wie es dazu kam, nehme ich an.«

Die Person hatte keine Scham, die *wollte* davon sprechen! Also dann, in Gottes Namen: »Ja! Er hat's mir erzählt. Hier war geschlossen über Pfingsten, und da haben Sie ihm angeboten, bei Ihnen zu Hause zu üben . . .«

»Er war mitten im zweiten Brahms-Konzert, plagte sich sehr und war gerade dabei zu begreifen, wie er's anpacken mußte . . .«

»Und da haben Sie zu Hause mit ihm Fingerübungen gemacht!«

Frau Moss biß sich auf die Lippen. Das war ordinär gewesen, und das wollte sie auf keinen Fall sein. Richard sollte später mal sagen können: »Ich komme aus kleinen Verhältnissen«, aber er sollte doch nicht heimlich dabei denken: und aus vulgären! Das kommt davon, dachte sie unglücklich, wenn man jahrelang im Straßenbahndepot arbeitet und lauter schmuddelige Redensarten um einen herumfliegen. Was hätte ihr Mann dazu gesagt! Der war schließlich Lehrer und gebildet. Sie selbst hatte nur die Volksschule besucht, aber ihr Mann hatte immer gesagt: »Du hast einen sicheren Instinkt, der ist mehr wert als jede Bildung.« Und dann, als er starb – Richard war erst sechs –, da hatte ihr Instinkt ihr gesagt: Dieses Kind klimpert da nicht nur herum auf dem Klavier in der Schule, anstatt Fußball zu spielen, der hat da was in sich, etwas Besonderes . . . Und da hatte sie, seine Mutter, sich jetzt hinreißen lassen, so etwas zu sagen!

Sie blickte ratlos zu Boden.

Aber es sah beinah so aus, als habe die andere sie gar nicht verstanden, denn sie sagte nur: »Das Brahms-Konzert hat es in sich.«

Frau Moss verlor mehr und mehr an Boden. Warum war die so gelassen? Sie sah aus, als sei sie mit ihren Gedanken woanders. Wie Richard, wenn er ihr sagte, sie solle ihn in Ruhe lassen, er spreche mit Brahms. Oder Mozart oder so jemandem.

»Fräulein Grüter . . .«, und bevor sie wußte, was sie tat, war's schon heraus: »Lieben Sie meinen Sohn?«

Die junge Frau war mit ihren Gedanken wieder da und sah sie einen Augenblick lang an, bevor sie den Kopf wandte und aus dem Fenster blickte. Ein hübsches Profil hat sie, dachte Frau Moss, wie auf einer alten Kameenbrosche. Sie selbst hatte so eine von ihrer Großmutter, aus Elfenbein.

»Das habe ich mich natürlich auch gefragt.«

»Und?«

»Ich weiß es nicht.«

Frau Moss durfte sich wieder aufregen. »Das wissen Sie nicht? Ja, mein Gott, wieso haben Sie dann . . .« Wie nannte man so was auf anständige Weise?

Christiane Grüter wandte den Blick vom Fenster und sagte langsam: »Sie haben vorhin von Verführung gesprochen, Frau Moss. Ich gebe zu, das lag in der Luft, schon sehr bald nachdem wir angefangen hatten zu arbeiten. Ich wußte sofort, Richard war etwas Besonderes, ich hatte Ähnliches noch nie erlebt. Die Musik hat uns verführt. Da entsteht etwas, eine Erregung, eine Angespanntheit – nennen Sie es ruhig Überspanntheit, ohne Maß, ohne Vernunft . . .« Sie unterbrach sich, fand ihre Worte lahm, aber es fielen ihr keine besseren ein. »Sehen Sie ihn manchmal an, wenn er Klavier spielt?« Frau Moss nickte stumm. »Können Sie sich nicht vorstellen, daß man bei so einem Erlebnis, bei so einem *gemeinsamen* Erlebnis, daß man da eben . . .«

Sie verstummte, gab auf. Eine Weile lang schwiegen beide. Dann sagte Frau Moss mit lauter Stimme, als müsse sie sich aufwecken, sich selbst und die andere auch: »Fräulein Grüter, Richard wird bei Ihnen keinen Unterricht mehr nehmen.«

»Haben Sie das mit ihm besprochen?«

»Natürlich.«

»Und . . . was hat er gesagt?«

Etwas zu nachdrücklich und mit hocherhobenem Kopf sagte Frau Moss: »»Du hast recht, Mutter‹, hat er gesagt, ›du hast vollkommen recht.‹«

»Das hat er zu Ihnen gesagt?«

»Jawohl, das hat er gesagt.« Es war ihr wichtig, daß sie recht hatte, das war ihr immer wichtig. Wo wäre sie denn sonst?

»Wir werden uns nach einem anderen Lehrer umsehen.«

Die junge Frau senkte den Kopf. Weinte sie nun doch? Nein, sie blickte wieder auf und nickte, sagte dann gelassen: »Ja. Das ist auf jeden Fall das Beste.«

Frau Moss murmelte etwas, vielleicht doch einen Abschiedsgruß, und ging. An der Tür holte sie Christianes ruhige Stimme ein: »Ich erwarte nämlich ein Kind.«

Frau Moss ließ die Türklinke fahren.

»Was? Sie erwarten . . . von meinem Jungen?«

Für Christiane lohnte es sich nicht zu antworten. Sie hob die Hände, die die ganze Zeit über gefaltet in ihrem Schoß gelegen hatten, und schlug die ersten Akkorde an.

Frau Moss griff wieder nach der Türklinke, um sich an etwas festzuhalten. Heiser stieß sie hervor: »So. Sie bekommen ein Kind . . . *von* einem Kind!«

Aber da die Person sich nicht rührte, einfach weiterspielte, riß sie mit einem Ruck die Tür auf und stolperte hinaus auf den Gang. Die Tür ließ sie hinter sich ins Schloß fallen.

Noch konnte sie keinen Schritt vor den anderen setzen, stand und horchte, hörte leise Töne von drinnen. Die spielte einfach weiter, hat man je so was erlebt?

Sie setzte sich in Bewegung und ging den Korridor entlang. So etwas . . . Abgebrühtes! Als sei das gar nichts Besonderes, als ginge sie das alles gar nichts an. Na, die würde sich noch wundern. Wenn die erst mal einen dicken Bauch bekommt . . . Die Kollegen! Und die Schüler!

Eigentlich brauchte sie jetzt nicht mehr zum Direktor zu ge-

hen. Die war genug bestraft. Geschah ihr recht, so eine leicht-
sinnige Person! Und so einer überläßt man junge Menschen!
Vielleicht sollte sie sie doch anzeigen, es war eigentlich ihre
Pflicht.

Sie stieg aber nicht in den Fahrstuhl, der sich gerade vor ihr
öffnete. Seltsame Person! Wie stellte die sich eigentlich vor,
daß es nun weitergehen würde? Gut, die Zeiten hatten sich
geändert, vielleicht wird man sie hier nicht rauswerfen, aber
eine Schwangerschaft war noch immer dasselbe, mit allem
Drum und Dran. Die hatte sich ihr Leben gründlich ruiniert;
aus, fertig. Hatte Richard nicht erzählt, daß die eigentlich
Konzertpianistin werden wollte und nur so zwischendurch
Unterricht gab? Na, damit war's nun aber ganz bestimmt vorbei. Konzertkarriere, ein uneheliches Kind, und kein Mann,
der mithilft . . .

Langsam drehte sie sich um und wanderte den Gang zurück.
Aus Nummer neunundzwanzig kam immer noch Klavier-
musik. Vorsichtig öffnete sie die Tür.

Christiane, in ihren Brahms vertieft, blickte kurz auf und
spielte weiter. Frau Moss wagte auf einmal nicht, näherzutre-
ten, andrerseits mußte sie der Person unbedingt noch etwas
sagen und sie auch etwas fragen, etwas Wichtiges.

Sie wartete, wußte, es würde noch ziemlich lange dauern, bis
der Satz zu Ende war. Richard hatte ja seit Wochen nichts anderes gespielt. Und dann hielt sie's einfach nicht mehr aus.

»Fräulein Grüter!« Und als Christiane keine Notiz nahm, etwas lauter: »Fräulein Grüter, bitte!«

Die junge Frau ließ widerstrebend die Hände von den Tasten
sinken. »Was wünschen Sie?«

»Ich wünsche . . . ich möchte gern helfen, so gut ich kann, ich
meine . . .«

»Ich brauche keine Hilfe, Frau Moss.« Und dann, nicht un-
freundlich, aber unmißverständlich: »Auf Wiedersehen.«

Doch Frau Moss war bereits auf halbem Weg zum Flügel.

»Wollen Sie es denn überhaupt bekommen, das Kind?«

Christiane antwortete nicht. Wortlos sah sie die kleine Frau im Regenmantel an, sah in die plötzlich hilflosen, ratlosen Augen.

Frau Moss nahm ihren ganzen Mut zusammen. »Weiß es Richard?«

Christiane begriff, lächelte und schüttelte langsam den Kopf.

»Natürlich nicht. Es wäre am besten, wenn er es *nie* erfährt, es würde ihn nur unnötig belasten.«

Frau Moss wagte sich wieder nah an den Flügel heran, setzte die Einkaufstasche wieder auf den polierten Deckel, aber diesmal ganz vorsichtig.

»Fräulein Grüter«, begann sie, beinah schüchtern. »Möchten Sie's nicht doch lieber loswerden, das Kind? Ich meine, auf legalem Weg natürlich.« Sie wartete, und als Christiane sich nicht äußerte, faßte sie Mut und flüsterte eifrig: »Das kann man doch jetzt. Sie brauchen nur zu sagen, wie es ist. Da würde heute jeder Arzt . . .«

Sie verstummte, denn die braunen Augen brannten auf einmal, und die ruhige Stimme klang bedrohlich: »Ich glaube, wir haben nichts mehr zu besprechen, Frau Moss.«

Aber die klammerte sich mit beiden Händen an den Flügeldeckel. »Nein«, rief sie. »Nein, ich lasse mich nicht einfach rauswerfen. Ich habe das Recht mitzusprechen.«

»Welches Recht?«

»Sie sind die Mutter. Meinetwegen. Aber ich bin schließlich, ob ich will oder nicht, die Großmutter.«

Gegen ihren Willen mußte Christiane lächeln. »Noch nicht. Und Sie werden es auch nie sein – wegen Richard, wegen Ihres Jungen. Er weiß nichts, und Sie dürfen auch nichts wissen, ich hätte es nicht erwähnt, wenn ich nicht einen Grund gehabt hätte: Sie sollten ihn nämlich von hier wegnehmen, an eine andere Musikhochschule, es wird ihm nichts schaden, künstlerisch. Dem Jungen kann man gar nicht schaden, der ist bereits eine selbständige künstlerische Persönlichkeit. Es fehlen ihm nur noch viele hundert Stunden Üben, Pauken . . . und Älterwerden. Diese Situation jetzt, die mich betrifft, die *darf* nur mich betreffen. Stellen Sie sich doch einmal vor: Selbst wenn er bei einem anderen Lehrer Unterricht nimmt, er sieht mich doch täglich! Was soll er denken, und was soll er tun? Am besten wäre es, wenn er in einer anderen Stadt weiterstudieren würde. München, zum Beispiel, hat eine gute Musikhochschule.«

Frau Moss öffnete den Mund, um etwas zu sagen. Aber es war nicht das Richtige. Was war das Richtige? Etwa: *Sie* haben recht, Fräulein Grüter?

Christiane hatte die Augen nicht von ihr gelassen.»Wäre es Ihnen möglich, Richard in München weiterstudieren zu lassen?«

Sie zögerte. Alles hatte sich plötzlich umgedreht. Sie, Frau Moss, stand Rede und Antwort, während diese Person Vorschläge machte und eigentlich gar nicht mehr diese Person war, im Gegenteil . . .

»Er bekommt sicher ein Stipendium«, fuhr Christiane fort. »Und die Aufnahmeprüfung besteht er mit Leichtigkeit.«

Sie sahen sich an. Dann sagte Frau Moss, und zwar ohne eine Spur von Ironie in der Stimme: »Mit dem zweiten Brahms-Konzert.«

Christiane nickte lächelnd. »Ja. Das ist jetzt sein Paradestück. Also dann . . . auf Wiedersehen, Frau Moss.«

Die drehte sich gehorsam um, ging langsam zur Tür, blieb aber noch einmal stehen. »Und Sie wollen wirklich nicht . . . ich meine, Sie erlauben mir nicht . . .«

»Nein, ich erlaube es nicht.«

Ein letzter Versuch. »Wissen Sie denn überhaupt, was Sie da auf sich nehmen? Sie ruinieren sich doch Ihr ganzes Leben.«

Die junge Frau schüttelte den Kopf. »Das glaube ich nicht. Im Gegenteil, ich freu' mich drauf.«

Sie blickte wieder auf die Tasten, schloß einen Augenblick die Augen, als horche sie in sich hinein, begann zu spielen, mit Brahms Zwiesprache zu halten. Hörte nicht mehr, wie die Tür aufging und dann wieder zufiel.

Auf der Litfaßsäule neben der Bushaltestelle prangte ein einziges, riesiges Plakat:

ERSTMALIG!
RICHARD MOSS
KLAVIERKONZERT
BRAHMS STRAWINSKI SCHÖNBERG

Quer darüber ein roter Aufkleber: AUSVERKAUFT. Er verdeckte zum Teil ein Foto des Pianisten, eines dunkelhaarigen jungen Mannes im Profil, der mit gesenktem Blick vor einem Flügel saß. Die wenigen Leute, die auf den Bus warteten, schenkten dem Plakat wenig Interesse.

Ein Taxi fuhr langsam vorbei und hielt ein paar Meter weiter an. Der Fahrer sprang heraus und half einer kleinen, zarten Frau beim Aussteigen. Sie trug ein helles Sommerkleid. Ein Strohhut bedeckte ihr kurzes, graues Haar. Auf der anderen Seite war ein junger Mann ausgestiegen und sah sich suchend um, während sie ihre Handtasche aus Krokodilleder öffnete und den Fahrer bezahlte. Niemand an der Bushaltestelle erkannte in dem jungen Mann den Pianisten von dem Foto auf der Litfaßsäule.

Der Bus rollte heran, die Leute stiegen ein. Auch das Taxi fuhr ab. Die beiden, die Frau und der junge Mann, standen allein an der Straße. Es war ein heißer, blauer Tag, und sie tauchten schnell in den Schatten der Kastanienbäume, die die Straße säumten.

Die Frau stutzte, als sie die Litfaßsäule bemerkte.

»Meinst du, sie weiß es?«

»Sie kann's doch beinah vom Fenster aus sehen . . . wenn sie wirklich hier wohnt«, sagte der junge Mann und zeigte auf das Gebäude ihnen gegenüber: ein dreistöckiger, moderner Wohnblock hinter einer breiten Rasenfläche.

Frau Moss holte einen Zettel aus der Tasche. »Bäumlerstraße siebenundachtzig hat man mir in der Musikhochschule gesagt, dritte Etage.«

»Das ist da drüben, die zweite Tür.«

»Richard«, sagte Frau Moss und blickte ihren Sohn von der Seite an. »Lange können wir aber nicht hier warten, du mußt dich doch noch hinlegen. Glaub mir, es ist nicht gut, daß du vor dem Konzert . . .«

»So schnell kommen wir nicht wieder hierher, Mutter.« Er blickte zu den Fenstern im dritten Stock hinauf. »Ich muß es einfach wissen.«

»Ich hätt's dir nie erzählen sollen.«

»Aber du hast es mir erzählt.«

»Mein Gott, du hast mich doch immer wieder gefragt, warum wir bei jeder Tournee ausgerechnet um diese Stadt einen Bogen machen, und ich hab' dir nie eine vernünftige Erklärung geben können. Und dann dachte ich, jetzt ist es doch schon so lange her, acht Jahre, vielleicht wohnt sie gar nicht mehr hier, oder sie hat geheiratet – und schließlich, woher wissen wir, ob sie's überhaupt bekommen hat.«

Der Sohn packte sie schnell am Arm und zog sie tiefer in den Schatten des Kastanienbaums, denn die Haustür von Nummer siebenundachtzig hatte sich geöffnet. Es war aber nur ein alter Mann mit einem Dackel an der Leine.

»Richard, warum regst du dich so auf? Ist es . . . wegen ihr oder wegen dem Kind? Du hast doch die ganzen Jahre über nie von ihr gesprochen, nicht ein einziges Wort.«

»Aber seit du's mir erzählt hast, geht's mir nicht aus dem Kopf. Und hier ist sie plötzlich wieder da, und ich muß immer an sie denken. Ich glaube, du weißt nicht – wie sollst du's auch wissen –, was ich ihr verdanke. Niemand sonst hat einen solchen entscheidenden Einfluß auf mich gehabt. Du hast mir ja damals nicht mal erlaubt, mich von ihr zu verabschieden. In München habe ich ihr natürlich geschrieben, Dutzende von Briefen . . .«

»Davon weiß ich ja nichts!« rief Frau Moss mit offenem Mund.

»Sie hat nie geantwortet. Mit der Zeit dachte ich, sie hat mich längst vergessen. Aber jetzt weiß ich, daß sie jeden Tag an mich denkt; immer, wenn sie das Kind ansieht.« Er hatte den Blick nicht einen Moment lang von der Haustür drüben gelassen.

»Richard«, sagte sie unglücklich. »Wär's nicht besser, wir würden es morgen versuchen . . .«

»Nein, Mutter«, antwortete er ruhig. »Heute.«

Sie seufzte, sagte: »Ich setz' mich auf die Bank da bei dem Fliederbusch« und ließ ihn allein.

Die Haustür ging noch mehrere Male auf. Zwei junge Mädchen mit Fahrrädern erschienen, ein Postbote und ein Lieferant wanderten hinein und kamen wieder heraus – und dann ging die Tür noch einmal auf, und Christiane Grüter erschien, an der Hand einen Buben von etwa sieben Jahren, der einen großen Gummiball trug. Sie war etwas voller geworden, trug einen weißen Rock und eine bunte Bluse, die braunen Haare hingen immer noch lang bis auf die Schultern herab. Sie sah ganz jung aus und so, als habe sie viel zu tun, und als tue sie das alles gern.

»Aber nur auf dem Gras«, sagte sie zu dem Buben. »Nicht auf der Straße, Ehrenwort?«

»Ehrenwort, Mammi.«

Er warf den Ball in die Luft und fing ihn wieder auf, ließ ihn gegen die Hauswand prallen, höher und höher.

»Paß auf, daß du keine Fensterscheibe einschlägst.«

»Ja doch, Mammi.«

Christiane verschwand wieder in der Haustür. Sie hatte den jungen Mann nicht bemerkt, der unter dem Kastanienbaum stand und abwechselnd sie und das Kind anstarrte. Und auch die kleine Frau im Strohhut nicht, die da auf der Bank saß.

Der Dackel des alten Mannes kam gelaufen und bellte den Ball an. Der Kleine lachte und ließ ihn vor dem Hund auf und nieder springen, bis der Dackel Männchen machte. Dann ließ er den Ball fallen und streichelte den Hund, während der Ball die sanfte Rasenböschung hinabrollte, dem jungen Mann entgegen. Der hob ihn auf und warf ihn dem Kind zu.

»Richard!« rief Frau Moss warnend.

Das Kind warf den Ball wieder zurück, und der Dackel lief bellend zwischen beiden hin und her. Der Kleine lachte und warf den Ball noch einmal zu Richard. Aber jetzt hielt der ihn fest und wartete, bis das Kind fragend herankam.

Frau Moss sprang auf, wagte aber nicht, sich zu nähern.

»O Gott«, flüsterte sie und preßte beide Hände vor den Mund.

Der junge Mann ging in die Kniebeuge, damit er Auge in Auge mit dem Kind war.

»Wie heißt du denn?«

»Gib mir meinen Ball!«

»Erst sag mir, wie du heißt.«

»Richard.«

»Richard – was?«

»Richard Grüter.«

»Richard Grüter, das ist ein schöner Name.«

»Bald werd' ich einen noch schöneren haben.«

»Welchen denn?«

»Richard Ferris.«

»Ferris, wieso?«

»Weil wir alle nach Amerika gehen.«

»Alle?«

»Ja. Der neue Pappi und wir. Meinen Ball, bitte.«

Der junge Mann zögerte noch einen Augenblick, dann stand er auf und warf den Ball zurück. Der Kleine sprang hoch und fing ihn, lief davon, der Dackel hinterher.

Frau Moss kam langsam näher und stellte sich dicht neben ihren Sohn. Schweigend sahen beide zu, wie das Kind drüben in der Sonne spielte.

»Genau wie du«, flüsterte sie. »So hast du einmal ausgesehen, ganz genauso.« Er blieb stumm. »Sie wird also heiraten«, sagte sie leise und fügte noch leiser hinzu: »Sicher das Beste.«

Ein junges Mädchen, eine Mappe unterm Arm, ging auf die Haustür zu und winkte dem Buben.

»Tag, Richard.«

»Tag.«

»Wahrscheinlich eine Schülerin«, sagte Frau Moss. »Sie gibt Privatstunden, sagten die mir in der Musikhochschule, unterrichtet nur noch zu Hause, wegen dem Kind. Ob er auch klavierspielt? Begabt *muß* er ja sein. Vielleicht unterrichtet sie ihn.«

»Das glaube ich nicht«, sagte er und sah immer noch zu dem Buben hinüber, der im Gras lag und den Ball von einer Hand in die andere warf, während der Hund um ihn herumsprang. »Ich glaube, sie würde es nicht wollen.«

»Was – nicht wollen?«

»Daß ihn die Musik auffrißt.«

Die Mutter sah ihn von der Seite an, atmete tief ein und nahm Anlauf: »Wenn er heut' Richard Moss hieße, der Junge, dann würdest du vielleicht da drüben wohnen, mit ihr und dem Kind, und Klavierunterricht geben, für Fortgeschrittene. Dann hättest du heut' abend nicht dein eigenes Konzert in der Philharmonie, weißt du das? Damals mußte man ja eine Entscheidung treffen, und sie und ich, wir haben sie für dich getroffen, damit du frei bleiben konntest, damit du an nichts anderes zu denken brauchtest als an deine Musik. Und . . . das hat sich doch gelohnt, nicht wahr?« Sie wartete, und als er nicht antwortete, drängte sie: »Nicht wahr?«

Er wandte endlich den Kopf und sah sie an. »Ja. Du hast recht, Mutter. Du hast immer recht.«

Langsam gingen sie die Straße hinunter, hielten sich sorgfältig im Schatten der Kastanien. Da unten, am Platz, gab es Taxis.

Damals in Nizza fragte ich meinen amerikanischen Kollegen, wie alt denn dieser hoffnungsvolle Schüler seiner Schwiegertochter zu dieser Zeit gewesen sei.

»Vierzehn.«

»Vierzehn?«

»Wenn Sie's ganz genau wissen wollen: vierzehn Jahre und sechs Monate.«

Und so war denn auch der Richard Moss meiner ersten Version im Drehbuch vierzehn Jahre alt.

Man hielt dies zunächst für einen Tippfehler im Manuskript.

»Kein Tippfehler? Aber Frau Palmer, Sie glauben doch nicht im Ernst . . .«

Doch, ich hatte geglaubt. Man belehrte mich: Ich wolle doch wohl nicht auf dem Bildschirm ernstlichen Anstoß erregen, vom Rechtsstandpunkt gar nicht zu reden.

»Also gut«, sagte ich. »Dann ist er eben schon fünfzehn.«

»Ausgeschlossen«, hieß es, und wir begannen zu feilschen.

Ich kämpfte um jeden Monat – und gab mich schließlich mit sechzehn zufrieden. Meine Auffassung, daß Richard Moss auf jedem Gebiet außergewöhnlich war, hielt man für unzweckmäßig.

Weg vom Fenster

Manchmal, wenn ich jungen Leuten zuhöre, meine ich, ich bräuchte einen Dolmetscher, denn ich kenne die Worte, ja ganze Sätze nicht, die sie gebrauchen, und ich kann den Sinn nur erraten.

Zum Beispiel: »Der ist weg vom Fenster.« Wieso? fragte ich, als ich das zum erstenmal hörte, warum ist der weg? Was wollte er sich denn ansehen?

Ich kenne auch kein Wörterbuch der modernen Ausdrucksweise, jener Redewendungen und Sätze, die erst nach dem Zweiten Weltkrieg entstanden sind. Es käme ein erstaunliches Vokabular gescheiter, farbiger und bauernschlauer Wortkonstellationen zusammen.

Manche sind leicht verständlich. Daß »heißer Ofen« Motorrad und »Karbolmieze« Krankenschwester bedeutet, ist naheliegend. Anspruchsvoller – für die Phantasie – wird es bereits bei »Zuckerlöffel« für Beine (weibliche).

Mir gefallen alle diese Neuschöpfungen, sie sind im wahrsten Sinne des Wortes sinn-bildlich, man muß nur genau hinhören. Hätte ich genauer hingehört, wäre mir auch klar gewesen, daß »weg vom Fenster« nichts mit einem Fenster oder mit der Aussicht zu tun hat.

Brigitte schleppte. Dreimal hintereinander ächzte sie in der heißen Mittagssonne die Stufen vom Auto bis zur Haustür hinauf, bis die fünf schweren Tragtaschen endlich vor dem Eingang standen.

Sie hatte jedesmal laut nach den Kindern gerufen: »Hallo . . . Horst–Martin–Inge–Anna!«, aber es war niemand aufgetaucht, um ihr zu helfen. Beim letzten Mal hatte sie dann die Tür aufgeschlossen und in die Diele gebrüllt: »Seid ihr denn alle taub? Oder gestorben? Im Wagen ist noch eine Kiste Mineralwasser. *Ich* schleppe die nicht rauf. Von mir aus könnt ihr verdursten.«

Die Tür zum Arbeitszimmer ging auf, und Georg erschien auf der Schwelle. Hinter ihm und über seine Schultern spähend alle vier Kinder.

»Ja, sagt mal . . .« rief Brigitte empört.

Aber Georg unterbrach sie schnell: »Da war ein Anruf für dich.«

»Na und? Im Wagen ist noch . . .«

»Horst und Martin, bringt alles rein, und tragt es in die Küche. Dann könnt ihr wieder in die Bibliothek kommen.«

Zwei Paar lange Jeanshosen stoben an Brigitte vorbei und zur Haustür hinaus. Brigitte sah ihnen erstaunt nach, wandte sich dann wieder um.

»In die Bibliothek? Was ist denn los?«

»Ich habe dir doch gerade gesagt: Da war ein Anruf für dich.«
Brigitte blickte verständnislos ihren Mann an, dann die beiden Mädchen neben ihm, die sie anstarrten, als sähen sie ihre Mutter zum erstenmal.
»Was für ein Anruf? Was Schlimmes? Nun sagt schon.«
Inge als Älteste fühlte sich angesprochen. »Horst war am Telefon. Nein, nichts Schlimmes, aber . . .« Sie blieb stecken.
Georg nahm seiner Frau den Mantel ab. »Komm doch mal einen Moment zu mir rein. Sie wollen dich alle sprechen.«
»Darf ich mir gefälligst die Haare kämmen? Wie ich das hasse! Man kommt beladen wie ein Packesel nach Hause und wird mit mysteriösen Anspielungen begrüßt.«
»Ich wiederhole: Deine Kinder möchten dich gern sprechen. Es handelt sich nicht um etwas Tragisches oder Ansteckendes . . .«
»Aber um was Mulmiges.«
»Gedulde dich eine Minute, und setz dich hin! Ruh dich aus! Ah, da sind sie ja wieder. Schließ die Tür, Martin! So. Hier habt ihr eure Mutter. Schießt los!«
Brigitte streckte alle viere von sich und massierte ihre Oberarme. Dabei sah sie von einem »Kind« zum anderen und fand die verlegene Stille eigentlich ganz lustig.
»Sieht ja aus, als hättet ihr eine Versammlung abgehalten. Wer ist der Sprecher? Horst?«
Der sagte feierlich: »Mutter – du hast einen Anruf bekommen.«
»Das weiß ich bereits. Ich hab' schon viele Anrufe in meinem Leben bekommen. Dieser war von wem?«
Georg sagte schnell: »Von Robert.«
Brigitte zog sich die Schuhe aus und gestattete ihren Zehen, sich innerhalb der Strümpfe nach allen Seiten zu entfalten, während sie zerstreut murmelte: »Robert? Welcher Robert? Wer ist Robert?«

Niemand antwortete.

Sie hob den Kopf und sah von einem zum anderen. »Soll das ein Scherz sein? Ich kenne keinen Robert. Kennt *ihr* einen?« Georg lächelte ein wenig. »Denk mal nach.«

Sie zuckte die Achseln. »Haben wir irgendwo einen Robert?« »Geh mal in die Vergangenheit zurück, weit zurück«, sagte Georg.

Brigitte biß an ihrem Daumennagel herum. »Vergangenheit . . . Robert . . .« Und plötzlich wußte sie es und rief: »Ah! *Robert!*«

Die vier Kinder lauerten mit Argusaugen.

»Na?« sagte Georg ermunternd. »Langsam, aber sicher . . .« Sie ließ sich in den Sessel zurückfallen und schlug die Hände zusammen. »Robert Lehmann! Ich glaub's nicht.«

»Doch, der«, sagte Georg.

»Mein Gott! Das ist wahrhaftig eine Überraschung. Den gibt's noch? Und der ruft an? Nein, so was! Von wo? Weshalb? Von dem hab' ich mindestens zwanzig Jahre nichts mehr gehört. Was sagt er? Wie geht's ihm?«

Horst sagte spröde: »Ich weiß nicht, wie's ihm geht, ich hab' ihn nicht danach gefragt.«

Brigitte sprang auf, packte ihn bei den Schultern, schüttelte ihn lachend. »Wie hat er sich angehört? Nun sag schon! Und weshalb hat er plötzlich angerufen?«

Der junge Mann vermied es, seine Mutter anzusehen. »Er will sich mit dir treffen.«

Brigitte ließ ihn los und rief: »Was sagst du dazu, Georg? Ist das nicht unglaublich? Nein, so was! Ich kann's noch gar nicht fassen.«

Georg legte den Kopf schief und zog sich hinter seinen Schreibtisch zurück. Von dort aus meinte er mit einem kleinen, hinterhältigen Lächeln: »Ja, es ist wahrhaftig eine Überraschung.«

Brigitte stand auf einmal allein in der Mitte des Zimmers. Die Kinder waren so weit als möglich von ihr abgerückt und lehnten gegen Wände oder Möbel, als bräuchten sie Rückendeckung. Sie merkte es nicht, und wenn, dann war es ihr recht, denn sie brauchte Platz, um hin und her zu gehen.

»Und er will sich mit mir treffen? Wann und wo?«

Horst schlug – wenn auch unhörbar – mit der Faust gegen eine Sessellehne. »Er sagte, er hat hier nächste Woche zu tun, und da möchte er, daß du ihn in seinem Hotel besuchst.«

Sie stand still, schüttelte ungläubig lächelnd den Kopf und begann dann wieder auf und ab zu laufen. »Nein, so was!«

Inge, mit dem Rücken gegen das Bücherregal, explodierte. »Sag doch nicht immer ›Nein, so was!‹«

Aber Brigitte hörte weder diesen Ton, noch sah sie das gerötete Gesicht ihrer Tochter.

»Das ist das einzige, was mir jetzt in den Sinn kommt«, rief sie. »Nein, so was! Ihr könnt natürlich nicht verstehen, wie das ist, wenn man sagen kann: Mein Gott, den hab' ich über zwanzig Jahre lang nicht mehr gesehen – und plötzlich steht er einem vor Augen, zum Greifen nah . . .«

Anna sondierte: »Hast du manchmal an ihn gedacht in all diesen Jahren?«

»Schon lange nicht mehr. Früher schon, hin und wieder.«

Georg sagte bedächtig: »Lehmann hat Horst gesagt, wer er ist . . . äh . . . ein alter, sehr lieber Freund von dir . . .«

»Das war er, weiß Gott.« Sie lächelte ihre Kinder an, drehte sich langsam von einem zum anderen. »Er war mein erster richtiger Freund.« Ihr Blick blieb an Georg hängen, der ihr zunickte und zurücklächelte, wenn auch etwas vorsichtiger.

Horst räusperte sich heftig und stieß hervor: »Dein ›richtiger‹ Freund? Was heißt das?«

Brigitte sah ihn verdutzt an, wandte sich dann etwas hilflos an ihren Mann. »Ah so . . .«

Der nickte. »Ja. Das hat er mich auch gefragt. Das haben sie mich alle gefragt.«

»Und was hast du gesagt?«

»Nun . . . daß er . . .«

»Was druckst du so herum?«

»Ich habe gesagt, daß er der Mann vor mir war.«

»Richtig«, sagte sie mit Genugtuung. »Er war der erste Mann, in den ich mich verliebt habe, unsterblich, mit siebzehn Jahren. Was schaut ihr mich so an? Könnt ihr euch das nicht vorstellen?«

»Nein«, rief Inge heftig. »Nein, Mutter, das können wir uns *nicht* vorstellen, das wollen wir auch nicht. Da verlangst du zuviel von uns.«

»Was soll das heißen?« sagte Brigitte und pflanzte sich vor ihrer Tochter auf. »Was verlange ich denn so Unerhörtes?«

»Inge hat recht«, rief Horst aus der anderen Zimmerecke. »Du willst, wir sollen das einfach so hinnehmen, daß du *vor* Vater . . .« Er verstummte.

»Ja, sagt einmal, wer bin ich denn eigentlich für euch?«

»Du bist jemand, der zu Vater gehört«, sagte Inge feierlich. »Zu Vater und zu niemand anderem.«

Sie standen Gesicht an Gesicht – wie ähnlich sie sich sind, dachte Georg –, und Brigitte ließ einen Augenblick verstreichen, bevor sie antwortete: »So ist es auch. Ganz genau so. Ich gehöre erstens zu eurem Vater und zweitens zu euch.«

»Na, also«, sagte Martin erleichtert. »Fall erledigt. Können wir jetzt Mittag essen?«

»Moment noch . . .« Brigitte hob die Hand. »Hat einer von euch sich mal vorgestellt, wie das mit mir war, als ich so alt war, wie ihr jetzt seid, genau gesagt wie Anna?«

»Ja, doch«, sagte Inge. »Aber es macht keinen Spaß, sich so was vorzustellen – außer man ist etwas bekloppt. Das ist irgendwie . . . unanständig, das mußt du doch verstehen.«

143

»Nein, das verstehe ich nicht, ich will keine vier Vogel Strauße an Stelle von erwachsenen Kindern. Willst du nicht wahrhaben, daß ich mal ein Mädchen war wie du? Daß ich mich – genau wie du – auch mal etwas länger von einem Jungen verabschiedet habe, als nötig war? Ist dir das peinlich?«

»Ja«, erklärte Inge rundheraus, »klar ist das peinlich, Mutter. Wir denken doch auch nicht an dich und Vater . . . Ich meine . . .«

»Natürlich nicht, *nie*«, rief Horst energisch. »So was tut man nicht.«

»Großer Gott, Georg, hörst du das? Was sagst du dazu? Du und ich, wir sind also für die Kinder zwei verschrumpelte Fossilien, die zwar tagsüber noch ein bißchen japsen können, aber nachts . . .! Jawohl, meine Lieben, da wir nun mal beim Thema sind: Was meint ihr wohl, was wir abends machen, wenn wir euch gute Nacht gesagt haben und uns zurückziehen, na?«

»Och . . .«, sagte Martin, »könnten wir dieses interessante Thema nicht *nach* dem Mittagessen weiter verfolgen?«

Seine Mutter nahm keine Notiz von ihm, sah die anderen drei herausfordernd an.

»Ich gebe zu, ich würde es auch gern wissen«, sagte Georg lächelnd. »Und diesmal erlaube ich euch sogar, *nicht* präzis zu sein, sondern euch vage auszudrücken.«

Nach einer kurzen, peinlichen Pause sagte Inge empört: »Ihr amüsiert euch auf unsere Kosten. Ich finde es direkt unfair von euch, so was von uns zu verlangen.«

»Warum?« fragte Brigitte und sah ihr tief in die Augen. »Du weihst mich doch auch in alle Einzelheiten deiner ›privaten‹ Angelegenheiten ein und verlangst meine Stellungnahme. Da darf ich mich auch nicht zieren oder gar sagen: ›So genau wollt' ich's gar nicht wissen.‹ Was würdest du sagen, wenn ich erklärte, ›solche‹ Dinge wären mir peinlich?«

»Also bitte«, stieß das Mädchen wütend hervor. »Wenn ihr's durchaus wissen wollt: Wir nehmen an – wenn wir überhaupt daran denken, *gesprochen* haben wir über so was noch nie, darauf könnt ihr euch verlassen! –, also, wir nehmen an, glaube ich wenigstens, daß ihr im Bett liegt und ein gutes Buch lest.«

»Stimmt«, sagte Georg schnell. »Das tun wir auch.«

»Auch«, betonte Brigitte.

Nach einer weiteren verlegenen Pause sagte Horst: »Na klar, Mutter, ich meine . . . was denn sonst. Klar! Aber . . . wir sind natürlich mit *unseren* Angelegenheiten beschäftigt.«

»Und so soll's auch sein«, sagte Georg. »Absolut richtig, nicht wahr, Brigitte?«

»Ja. Solange uns keiner von euch auf den Kehrichthaufen abladet; noch sind wir nicht soweit. Und da bin ich wieder bei meinem alten Freund Robert, der mich gern wiedersehen möchte. In welchem Hotel wird er wohnen, Horst?«

Aber der schwieg und sah zu Boden, während Anna auf einmal verbissen meinte: »Wieso kommt der denn jetzt an? Was will er eigentlich?«

Georg griff schnell ein, bevor Brigitte etwas erwidern konnte, und sagte ruhig: »Sie meinen, du darfst Robert nicht im Hotel besuchen, das auf gar keinen Fall.«

»Was? Ach so – *darum* geht es! *Das* war eure Besprechung!«

»Sie meinen, ich darf das auf keinen Fall zulassen.«

Brigitte lachte laut. »Ach, du lieber Gott! Und was hast du darauf gesagt?«

»Daß selbstverständlich kein Grund besteht für irgendwelche Besorgnis . . .«

»Na also.« Inge stand Brigitte immer noch am nächsten, die einen Arm um die Schulter ihrer Tochter legte, während sie die anderen zärtlich anlächelte. »Ich bin wahrhaftig gerührt, daß ihr um meine Tugend besorgt seid – aber es wundert mich auch. Ist euch nicht klar, daß zwischen eurem Vater und mir eine Verbindung besteht, die unantastbar ist? So was ist selten heutzutage. Das wißt ihr doch – oder etwa nicht? Es wäre jammerschade, wenn euch das *nicht* klar wäre.«

»Doch, Mutter«, sagte Horst. »Natürlich wissen wir das, und eben deshalb hatten wir Angst, daß . . . daß, wenn dieser Mann da plötzlich auftaucht . . .«

»Du meinst, da könnte ich alles vergessen und ihm in die Arme sinken?« fragte sie lächelnd.

Der einzige, der mitlachte, war Georg. »Schließlich sind bald fünfundzwanzig Jahre vergangen, die niemand jünger gemacht haben, obgleich du natürlich sehr gut aussiehst. Aber es steht nicht zu befürchten, daß ein alter Jugendfreund gleich über dich herfällt, so was ist einfach nicht mehr drin.«

Brigitte hörte auf zu lachen und sah ihren Mann an. Er fühlte es und fuhr zögernd fort: »Ich meine . . . das kann dich doch nicht kränken, denn begehrenswert in *dem* Sinne . . . versteh das jetzt richtig, bitte . . . sind wir doch beide nicht mehr . . .«

Sie unterbrach ihn. »Sprich für dich, nicht für mich!«

Etwas betroffen murmelte er: »Was ich meine, ist . . . in unserem Alter . . .« Er räusperte sich, suchte nach einem passenden Wort. »In unserem Alter ist man doch weg vom Fenster, so sagt man doch heute, nicht wahr?«

»Weg vom Fenster?«

Er lenkte hastig ein: »Oder bist du da andrer Meinung?«

»Ganz andrer«, sagte sie kalt. »Jedenfalls, was mich betrifft.«

Horst erregte sich: »Also wirklich, da muß ich Mutter recht geben . . .«

»Ja, Vater«, sagte Inge kopfschüttelnd. »Da bist du wahrhaftig zu weit gegangen.« Dabei sah sie vom Vater zur Mutter, sachlich, als zähle sie die Punkte wie der Schiedsrichter auf dem Tennisplatz.

»Weg vom Fenster!« wiederholte Brigitte verächtlich. »Wer ist hier weg vom Fenster? Was ist das überhaupt für ein Ausdruck, ich wundere mich über dich, Georg . . .«

»Nicht doch, Brigitte, du verstehst mich ganz falsch. Ich meine nur . . . du willst doch nicht etwa behaupten, daß wir diesbezüglich noch Chancen haben. Wir sind aus dem . . . dem physischen Wettlauf ausgeschieden . . .«

»Aber Vater!« rief Horst entsetzt. »Alles, was du jetzt sagst, das stimmt doch gar nicht. Wir wollten doch was ganz anderes, wir dachten doch genau das Gegenteil! Eben, daß dieser Mann, dieser Robert, wenn er Mutter sieht . . .«

»Lauter Unsinn«, sagte Georg verärgert. »Tatsache ist, wir sind nur noch für einander physisch attraktiv, für fremde Leute haben wir andere Attribute . . .«

»Blödsinn«, sagte Brigitte. »Ich wette . . .« Sie hielt ein und überlegte.

»Ja?«

»Ich glaube, ich könnte es sogar beweisen«, sagte sie langsam und lächelte vor sich hin.

»Beweisen? Wie kann man so was beweisen?«

»Ich hab' da neulich im Fernsehen so ein Lokal gesehen, das schien mir ganz lustig zu sein. Es sah sehr nett aus, und es hatte auf jedem Tisch eine Fahne mit der Tischnummer – und ein Telefon. Jeder kann jeden Tisch anrufen und ein Rendezvous ausmachen oder einfach nur flirten und sich nett unterhalten. Natürlich kommen die Gäste immer allein, und dann telefonieren sie, und dann setzen sie sich zusammen . . .«

»Und dann gehen sie zusammen weg. Brigitte, wirklich! Du willst doch nicht etwa, daß *wir* in so ein Ding gehen . . .«

»Nur ›so ein Ding‹ kann's uns beweisen. Es ist vielleicht nicht sehr vornehm, aber dafür ganz unparteiisch.«

»Unparteiisch? Soll das in Form einer Wette vor sich gehen?«

»Gute Idee. Du schenkst mir das geblümte Kleid, das ich dir neulich im Schaufenster gezeigt habe, das mit dem grünen Gürtel. Und wenn ich verliere und mein Telefon bleibt stumm – na, dann zahl' ich's dir in Raten vom Haushaltsgeld zurück.«

»Vater!« rief Martin aufgebracht. »Das heißt, sie spart an meinem Coca-Cola! Und den neuen Farbfernseher, den gibt's dann auch nicht. Erlaubst du das?«

»Gewöhne dich so früh wie möglich an die Ungerechtigkeit dieser Welt, Martin«, sagte seine Mutter ungerührt und schlüpfte wieder in ihre Schuhe. »Ist noch jemand am Mittagessen interessiert?«

Das ›Ding‹ hieß »Glücksspiel«, und sein Name strahlte in bunten und heftig schwankenden Leuchtbuchstaben über der eleganten Eingangstür.

Georg und Brigitte schritten über den roten Teppich wie ein Brautpaar, steif und verlegen, weil sie von den Angestellten, vom uniformierten Portier bis zur Garderobenfrau, erstaunt betrachtet wurden. Ein Paar? Was wollten die hier? Sich etwa auf ihre fortgeschrittenen Tage – das Wort Alter war hier tabu – noch mal andere Partner anlachen? Dabei sahen sie eigentlich ganz solide aus.

Die beiden schienen genau zu wissen, was sie wollten, und lösten ostentativ die Arme, als sie ins Lokal traten. Der Oberkellner war im Hintergrund beschäftigt. Sie blieben am Eingang stehen, sahen sich in aller Ruhe um und warteten.

Brigitte sah an sich hinunter. »Du hast noch kein Wort über das Kleid gesagt. Gefällt es dir etwa nicht?«

»Doch«, brummte Georg und riskierte einen Seitenblick. »Aber das macht den Kohl auch nicht fett.«

Brigitte wäre gern auf den »Kohl« eingegangen, aber der Oberkellner näherte sich. »Einen Tisch, die Herrschaften?«

»Zwei«, sagte Georg.

Und Brigitte fügte hinzu: »Wir möchten getrennt sitzen.«

»Sehr wohl«, sagte der Mann und dachte, es gibt eben immer mal wieder was Neues. »Zwei Tische. Nebeneinander?«

»Nein«, sagte Brigitte streng. »Aber sagen wir . . . in Hörweite.«

»Sehr wohl. Nummer fünfunddreißig hier für die Dame und dort drüben Nummer achtundzwanzig für den Herrn. Wäre das gefällig?«

»Sehr«, sagte die Dame. Dann nahm sie die Hand des Herrn und schüttelte sie kräftig. »Leb wohl, Georg! Behalt mich im Auge! Weidmannsheil!«

Sie folgte dem Oberkellner, während der Herr noch einen Augenblick stehenblieb und ihr nachschaute. Es steckt eben doch in jeder Frau, dachte er, sogar in meiner Brigitte, eine »solche«. Wie sie dahinschwebt, den Kopf sehr hoch, und dann dieses sterile Lächeln auf dem Gesicht! Außerdem ist sie bedeutend stärker als sonst geschminkt. Sie sieht aus . . . ja, wie sieht sie aus? Ordinär? Nein, das doch nicht, aber – unzuverlässig, das ist der richtige Ausdruck: Sie sieht total unzuverlässig aus.

Er wanderte zum Tisch Nummer achtundzwanzig und nahm Platz.

Drüben ließ sich Brigitte gerade lässig-elegant in den Sessel von Nummer fünfunddreißig sinken.

Georg starrte, sprachlos, denn noch saß sie nicht ganz, und schon flackerte das Licht an dem kleinen Nummernmast auf ihrem Tisch.

»Ja, bitte?« flötete Brigitte sanft mit dunkler Stimme – so dunkel, daß Georg sie kaum hören konnte – und winkte dabei dem Oberkellner, der ihr die Weinkarte reichte. »Kleinen Moment, ja?« Das in den Apparat, und zum Kellner aufblickend: »Diesen bitte, Blanc de blancs achtundsiebzig, ja?«

Der Kellner enteilte, und Brigitte wandte den Kopf und warf einen schnellen Blick nach Tisch achtundzwanzig: Georg saß steil nach vorn geneigt wie ein Jagdhund da und starrte herüber.

»Guten Abend . . . Sie haben es aber eilig! Ich hab' mich ja kaum gesetzt . . . Ach, Sie haben mich von Anfang an beobachtet . . . Mein Begleiter? Nein, nein, das ist ein alter Freund von mir . . . ja, den kenne ich schon *sehr* lange . . . *Wie* sehe ich aus? Na wissen Sie, das ist aber stark übertrieben . . .« Sie drehte sich wieder zur Seite, um noch einen kurzen Blick zu Georg hinüberzuwerfen, wiederholte dann noch etwas lauter: »Stark übertrieben, mein Herr, aber trotzdem recht angenehm zu hören . . .«

Es ist doch nicht zu fassen, dachte Georg und sah zu, wie sie lachte und redete und endlich auflegte. Im gleichen Augenblick flackerte auch schon wieder das Licht an ihrem Mast, und sie nahm ohne Hast den Hörer ab.

»Der Herr möchte bestellen?«

Vor Georgs Tisch stand der Kellner und blockierte ihm die Aussicht.

»Wie bitte? Ach so, ja natürlich, warten Sie mal . . .« Er mußte sich doch wahrhaftig zusammenreißen! Aber war das nicht völlig unbegreiflich, was da drüben vor sich ging? »Ah . . . ja, was nehme ich denn? Einen Whisky, bitte, einen doppelten.«

Sein Blick kreuzte sich mit dem von Brigitte, deren Augen dann, während sie sprach, lächelnd durch das Lokal schweiften, und er löste ebenfalls und gewaltsam den Blick, um sich umzusehen, welche Typen denn da an den anderen Tischen saßen, die alle eifrig telefonierten. Welcher war wohl der, der gerade Brigitte so herzlich zum Lachen brachte, verdammt noch mal?

Jetzt legte sie den Hörer endlich auf – und schon wieder flackerte ihr Licht am Mast. Gut, daß ein Glas, voll mit dem

bräunlichen Getränk, vor ihm stand. Er leerte es zur Hälfte –
und pur.

»Aber gern, Herr Unbekannt«, säuselte Brigitte drüben in
den Hörer. »Wollen Sie mir nicht Ihren Namen verraten? . . .
Meinen? Warten wir erst mal ab . . . Doch, doch, ich finde
das Lokal ganz wundervoll . . . ja, richtig aufregend . . .«

Ekelhaft, dachte Georg, einfach ekelhaft.

»Nein, ich bin nicht von auswärts . . . meine Adresse?«

Bis hierher und nicht weiter, dachte Georg. Wenn sie dem
jetzt unsere Adresse gibt – dann geh' ich rüber und . . .

»Aber nein, die bekommen Sie nicht . . . Ach, nur weil Sie
mir Blumen schicken wollen? Das ist aber nett. Trotzdem,
meine ich, sollten wir noch nicht Adressen austauschen . . .
Nein, *noch* nicht, vielleicht später. Ich möchte erst mal sehen,
wie sich das hier entwickelt, das müssen Sie doch verstehen . . .«

Wie sich das hier entwickelt! Georg umklammerte sein Whis-
kyglas und goß sich fast den ganzen Rest in die Kehle. Zum
Bordell entwickelte sich das hier! Und so was wird öffentlich
geduldet und sogar im Fernsehen gezeigt! Er wartete, lauerte
auf den Augenblick, in dem Brigitte auflegen würde . . .
Jetzt! Er packte seinen Hörer und wählte Nummer fünfunddreißig – zu spät! Sie sprach bereits mit einem neuen Anwär-
ter, der ein paar Sekunden schneller gewesen war.

»Ach, *Sie* sind's schon wieder! Sie sind ja wirklich hartnäckig
. . . Also gut, ich werde Sie mal ansehen. Wo sitzen Sie
denn? . . . Ich soll raten? Na, das ist aber nicht einfach . . .
Warten Sie mal . . . äh . . . Nummer zwölf? . . . Nein? Vielleicht Nummer neunzehn? Auch nicht? . . . Doch, doch, natürlich interessiert es mich, wer mir so viel schöne Sachen
sagt . . .«

Diesmal klappte es. Georg wählte so schnell, als sie auflegte,
daß er sie erwischte.

»Hallo?«

»Wieso säuselst du so?« knirschte er. »Warum sagst du hallo nicht so, wie du's zu Hause am Telefon sagst?«

»Weil wir nicht zu Hause sind, sondern im ›Glücksspiel‹.«

»Vielleicht soll ich auch noch dankbar sein, daß du mich an der Stimme erkennst . . .«

»Geh mir aus der Leitung, ja? Es ist ja nicht der Sinn der Sache, daß ich mich mit *dir* unterhalte.« Sie hauchte noch ein »Auf später-dann-mein-Herr« und legte auf.

»Hallo!« brüllte Georg in den Hörer, aber drüben flammte schon wieder das Licht, und Brigitte lachte und gurrte und kokettierte . . .

»Zum Kotzen«, sagte er laut vor sich hin. Dann kam ihm eine Idee.

Mitten im Schnurren blickte Brigitte routinemäßig zum Tisch Nummer achtundzwanzig hinüber – und diesmal blieb ihr Blick hängen. Georg sprach mit jemandem! Hatte ihn etwa so eine Person angerufen? Sie blickte aufgebracht im Lokal herum. Da lockte eine ganze Anzahl, die sich sicher gern an einen, sagen wir, distinguierten Herrn heranmachen würde. Georg saß abgewandt, so daß sie nicht genau hören konnte, was er sagte.

»Entschuldigen Sie«, schnitt sie abrupt die Rede eines Unbekannten, der sie gerade durchs Telefon beweihräucherte, ab. »Könnten Sie vielleicht später noch mal anrufen?« Dabei drückte sie auf die Gabel, behielt aber den Hörer am Ohr, um nicht wieder gestört zu werden, während sie zu Georg hinüberhorchte. Aber auch jetzt konnte sie nicht alles verstehen, nur einige Brocken.

»Billig!« sagte er gerade mit einiger Heftigkeit. »Das ist der einzige Ausdruck: billig!« Darauf kam eine Menge unverständliches Gemurmel, und dann hörte sie wieder: » . . . Verhalten erschüttert mich zutiefst . . . als würde man einen

»Im Jahre 1982«: Lilli Palmer als Cordula, Volker Lechtenbrink als Günther und Horst Janson als Wolfgang

»Mutter hat recht«:
Lilli Palmer als Frau Moss und Johanna von Koczian als Fräulein Grüter

»Weg vom Fenster«: Lilli Palmer als Brigitte

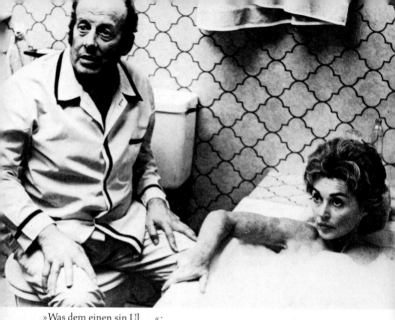

»Was dem einen sin Ul . . .«:
Lilli Palmer als Anneliese und Wolfgang Spier als Henrik

Lilli Palmer mit dem Regisseur von »Eine Frau bleibt eine Frau«, Alfred Wei-
denmann

»Der Zug nach Rom«: Klaus Schwarzkopf als Georg

»Der Zug nach Rom«:
Lilli Palmer als Brigitte und Ekkardt Belle als Martin

Lilli Palmer bei den Dreharbeiten zu »Eine Frau bleibt ein Frau« vor ihrem Wohnwagen

Carlos Thompson besucht Lilli Palmer während der Dreharbeiten im Studio Hamburg

Knochen unter lauter Hunde werfen . . .« Er drehte sich ein wenig, und sie konnte den Schlußsatz verstehen: »Das wollte ich hiermit in aller Bescheidenheit ausdrücklich feststellen.« Er legte den Hörer auf und atmete tief ein. Erstaunlich, wie gut das tat, wenn man sich Luft machen konnte.

Das Licht an seinem Mast flackerte. Er starrte es betroffen an. Donnerwetter! Jemand wollte seine Bekanntschaft machen. Warum eigentlich nicht?

»Hallo?«

»Sag mal, führst du da Selbstgespräche? Das wäre gegen die Spielregeln, mein Lieber.«

Wütend feuerte er seinen Hörer auf die Gabel.

Noch einen Blick zu Brigitte hinüber – sie war wieder selig lächelnd in ein neues Gespräch vertieft –, dann holte er sein Notizbuch aus der Tasche, schrieb ein paar Sätze und winkte dem Kellner.

»Bringen Sie das bitte der Dame am Tisch Nummer fünfunddreißig.«

»Aber, mein Herr, Sie können doch telefonieren . . .«

»Das weiß ich«, knurrte Georg. »Trotzdem!«

»Zu heiß hier? Ja, mir ist auch recht warm«, sagte Brigitte gerade ins Telefon, als das Stück Papier vor ihr auf dem Tisch landete. Sie hob es achtlos auf und fächelte sich damit Luft zu.

»Aber nicht doch . . . Ich kann mich doch nicht jetzt draußen mit Ihnen treffen . . . Wie bitte? . . . Was unterstehen Sie sich!«

Georg, der sie nicht aus den Augen gelassen hatte, beobachtete mit Vergnügen, wie sie plötzlich nicht mehr lachte, sondern aufgebracht in den Hörer schrie: »Was erlauben Sie sich? . . . Warum ich hier bin? . . . Ganz bestimmt nicht, um Lümmel wie Sie kennenzulernen!« Damit warf sie den Hörer auf die Gabel. Obgleich ihr Licht sofort wieder aufflackerte, würdigte sie jetzt endlich den Zettel eines Blicks.

OKAY, MARILYN MONROE. ICH GEBE MICH GESCHLAGEN.
KOMM NACH HAUSE, ICH HALT'S HIER NICHT MEHR AUS.

METHUSALEM

Während der Heimfahrt wurde kein Wort gesprochen. Brigitte saß zurückgelehnt im Wagen, die Augen halb geschlossen, und pfiff leise vor sich hin. Georg sah sie einmal von der Seite an und fand, sie habe wieder diesen seltsamen, ganz und gar unzuverlässigen Ausdruck im Gesicht. Nicht, daß er ihr schlecht stand . . .

Bei der Ankunft zu Hause sagte er angriffslustig, während er die Haustür aufschloß: »Also, Brigitte, es gibt zwei Möglichkeiten als Erklärung für den heutigen Abend: Entweder bin ich lange nicht so wählerisch, wie ich mir immer eingebildet habe, oder aber – und das hätte ich nie für möglich gehalten – es gibt eben doch eine Menge Kerle, die einen ebenso guten Geschmack haben wie ich. Morgen werde ich dich feierlich vor den Kindern rehabilitieren und erklären: Hier irrte Vater.«

»Tu's nicht«, sagte Brigitte.

Er umarmte sie in der dunklen Diele. »Warum nicht?«

»Frag nicht, warum – aber tu's nicht«, wiederholte sie und küßte ihn. »Dort drinnen war's heiß, nicht wahr? Ich würde jetzt gern noch was Kühles trinken, vielleicht ein Bier. Willst du . . .? Wart hier unten auf mich, ich bin gleich wieder da.«

Während er in die Küche ging, lief sie schnell die Treppe hinauf und öffnete lautlos die Tür zum Schlafzimmer ihrer beiden Söhne.

Dunkelheit und tiefe Stille. Sie tastete sich vorwärts, bis sie den Nachttisch fand, und knipste die Lampe an. Horst lag auf dem Rücken, bis ans Kinn zugedeckt, die Augen fest geschlossen.

Mit einem Ruck riß sie die Bettdecke weg.

Der Junge lag schwitzend und völlig angezogen da, im »guten Dunkelblauen«, den Schlips noch umgebunden, die Schuhe noch an den Füßen.

Brigitte wartete, bis er vorsichtig die Augen öffnete, dann setzte sie sich auf den Bettrand. »Sag mal, hast du tatsächlich geglaubt, daß ich dich nicht an der Stimme erkenne?«

Drüben im anderen Bett setzte sich Martin auf, hellwach, aber im Pyjama. »Mensch! Hast du denn nicht durchs Taschentuch gesprochen, wie wir's geübt haben?«

»Klar! Aber das klang manchmal so vermuffelt, daß Mutter ein paarmal fragte: ›Wie bitte? Ich versteh' Sie so schlecht.‹«

»Und die Kartoffel?«

»Mit der ging's besser . . .«

»Aber ich hab's *doch* gemerkt«, sagte Brigitte lächelnd. »Auch als du hamburgisch ges-prochen hast. Am besten war übrigens der Stotterer. Über den mußte ich wirklich lachen.«

»Aber Mutter, ich versteh' nicht . . . Du hast doch so fabelhaft mitgemacht – hast du wahrhaftig gleich von Anfang an gewußt . . .«

»Beim ersten Anruf war ich nicht ganz sicher, dachte, vielleicht ist der Mann stark erkältet, aber beim nächsten wußte ich's dann.«

»Und Vater? Hat er Lunte gerochen?«

»Nein. Gott sei Dank! Und er darf auch nichts erfahren, sonst hab' ich ja die Wette verloren.«

»Mutter«, sagte Horst, setzte sich auf und griff nach ihrer Hand. »Glaub mir, ich war's nicht immer! Manchmal bin ich gar nicht durchgekommen, weil jemand anders schneller war – wirklich!«

»Was du nicht sagst!« Sie lächelte und küßte ihn auf die Wange. »Wenn du darauf bestehst, will ich's auch glauben. Wichtig ist aber nur, daß ich ein neues Kleid habe und daß ihr trotzdem den Farbfernseher bekommt, nicht wahr?«

»Und daß du weißt, wo du stehst«, rief Martin herüber und legte sich wieder hin.

»Nämlich?«

»Mitten im Fenster, Mutter.« Er schloß die Augen und murmelte: »Aber fall nicht raus, hörst du?«

Was dem einen sin Ul...

Auch diese Geschichte spielte sich in meinem nächsten Freundeskreis ab, ist daher eigentlich eine Reportage wie die meisten meiner Geschichten.

»Was dem einen sin Ul, ist dem andern sin Nachtigall«, war der Wahlspruch eines Mannes, der sich in der Nachkriegszeit Schritt für Schritt hinaufgekämpft hatte, indem er aus Projekten, die andere für eine »Ul« hielten, eine »Nachtigall« machte.

Aber dann geriet er in eine Krise. Ich war mit seiner Frau befreundet, und ihr zuliebe marschierte ich einige Monate lang während dieser schweren Zeit neben den beiden her, ohne helfen zu können.

Ich habe nur die Namen geändert, nichts ausgelassen und nichts hinzugefügt.

Die Eßecke im Erker war Annelieses Idee gewesen. Der Erker war extra abgerundet worden – »verstehst du denn nicht, eckig ist sachlich, rund ist gemütlich, da schmeckt's besser!« –, es war sehr teuer gewesen, aber es hatte sich gelohnt, alles lohnte sich bei Anneliese. Jede Mahlzeit war ein Fest.

Das lag natürlich auch an der Köchin. Die kochte! Und er mußte sich nicht sorgen, daß sie mal kündigen könnte, denn sie war Annelieses Mutter, genannt »das Kreuz«. Ihr »Seliger« hatte sie so genannt – »dem war ich auch eins, glaub mir!« Er, Henrik, der Schwiegersohn, nannte sie auch so, aber aus Liebe.

Er saß allein auf der gebogenen Eßbank, die Ellbogen auf den Tisch gestützt, und schaute in den Garten hinaus. Es regnete. Gut für den Rasen, dachte er. Sonntags kämmte und bürstete er ihn, daß er aussah wie Samt. Das war *sein* Gebiet, das Kreuz herrschte über die Küche, und Anneliese verschönerte das Haus innen. Dabei war es längst schön genug, und viel zu teuer natürlich. Aber es paßte zu Anneliese. Er hatte das kleine Haus vor zwei Jahren hastig erworben, weil es ihr gefiel, und weil ihr seit einiger Zeit nichts mehr gefallen hatte. Es war, als hätte seine Ehe ein Loch gehabt, und damals hatte er versucht, es schnell zu stopfen. Mit diesem Haus.

Das Kreuz rief aus der Küche: »Henrik, anzünden!«

Er steckte die vier Kerzen in dem schönen, alten Silberleuchter an, den Anneliese neulich nach Hause gebracht hatte. Womit hatte sie den wohl bezahlt?

Das Kreuz trat über die Schwelle und hielt das Tablett wie den heiligen Gral. »Vorsicht«, murmelte sie vor sich hin. »Nicht wackeln. Senkrecht.«

Henrik stand auf, bot ihr aber keine Hilfe an, weil sie sie doch nicht annahm. Als sie dann schnaufend den Tisch erreichte, hob er schweigend den Topf mit dem Käsesoufflé vom Tablett, und sie fiel erleichtert auf die Fensterbank.

»Zehn Zentimeter höher als der Rand. Genau wie's im Buch steht.«

»Na, dann schenk ein«, sagte sie und wischte sich mit der Serviette ihr rundes, hochrot angelaufenes Gesicht ab.

Der Tisch war für drei gedeckt, der dritte Teller von einem Blumenkranz umgeben. Erst füllte er das Glas seiner Schwiegermutter, dann das seine, nach kurzem Zögern das dritte. Immer noch stehend, hob er sein Glas, sagte: »Anneliese!« in die Luft, trank es bis auf den letzten Tropfen aus und setzte sich wieder.

»Na, schön«, murmelte das Kreuz. »Anneliese – wo immer sie auch ist, verdammt noch mal.« Sie trank einen Schluck und sah, daß Henrik sich schnell wieder eingeschenkt hatte und daß auch dieses Glas bereits geleert war.

»Gib mir mal eine Portion von meinem Soufflé. Das fängt schon an zusammenzufallen.«

»Wie ich.« Er stieß den großen Löffel durch die braune Kruste. »Ich sinke und sinke. Gleich werde ich am Boden liegen. Zusammengefallen wie dein Soufflé.«

»Iß was, dann fällst du nicht zusammen. Iß! Wozu hab' ich denn das Ding gebacken? Mit sechs Eiern.«

Er aß gehorsam ein paar Bissen, dann legte er die Gabel hin. »Nicht mal an ihrem Geburtstag kann sie zu Hause bleiben, nicht mal dir zuliebe – von mir gar nicht zu reden. Verstehst du das? Nach achtzehn Jahren?«

Sie hielt ihm ihr Glas hin. »Nur damit du nicht die ganze Flasche säufst. Wenn du mich eben ernstlich gefragt hast, muß ich dir antworten: deswegen, *wegen* der achtzehn Jahre.«

»Ja, hat sie denn überhaupt kein . . .«

»Nein«, unterbrach sie ihn fest. »Sie hat überhaupt kein was immer du meinst. Iß, sag' ich dir, und trink nicht soviel.«

»Ach Kreuzchen«, seufzte er. »Gut, daß es dich gibt.«

»Ja.«

»Manchmal denke ich, Anneliese hat keine Ahnung, was für eine Mutter sie hat.«

»Doch, sie weiß es, sie weiß es sogar genau, und deshalb kann sie mich jetzt nicht brauchen. Sie wünschte, ich wäre ganz anders. Es geht so weit – und ich kann das gut verstehen –, daß sie manchmal am liebsten hätte, ich würde mir endlich die Radieschen von unten ansehen.«

»Kreuz!«

»Schrei nicht so! Du weißt, ich hab' recht. Das heißt deswegen noch lange nicht, daß sie mich nicht liebt, aber ich bin ihr jetzt im Wege. Mit *dir* kann sie eher fertig werden als mit mir, du bist ihr Mann und deshalb im Hintertreffen. Ich bin ihre Mutter, aller Bande ledig – und dazu noch voll Tücke.«

»Tücke? Du?«

»Mit allen Wassern gewaschen, wie es heißt, von der Heilquelle bis zum Abwasser. Sie weiß das. Du nicht, weil ich ja erst seit einem Jahr bei euch wohne. Allerdings«, sie sah ihn zärtlich an, »so wie du geschaffen bist, hättest du mich auch noch nach zwanzig Jahren für einen makellosen Brunnenquell gehalten, was?«

Er nickte stumm. Sie umschloß seine Hand, die auf dem Tischtuch lag, mit der ihren, einer warmen, kräftigen Hand, unter der sich seine kalt und schlaff anfühlte.

»Henrik, was du jetzt durchmachst, ist eine uralte Kalamität. Leider ist überhaupt nichts Besonderes dran. Eine Frau, Mitte Vierzig, achtzehn Jahre verheiratet, keine Kinder, keinen Beruf, verliebt sich in einen viel jüngeren Kerl. Schon mal so was gehört? Ja? Na, also. *Nein!*« rief sie plötzlich. »Du trinkst jetzt nicht, du hörst mir zu! Heute, an ihrem Geburtstag, gerade heute, zwinge ich dich, die Sache *sachlich* zu betrachten, *ohne* Alkohol. Sieh mal aus dem Fenster!«

»Es regnet.«

»Was meinst du wohl, was die beiden jetzt machen, jetzt, wo es langsam dunkel wird und der Regen gegen die Fensterscheiben pladdert. Na? Was machen sie?«

»Kreuz!« Er entriß ihr seine Hand und begrub den Kopf zwischen beiden Armen auf dem Tisch. »Warum quälst du mich?«

»Weil der Regen auch mal aufhört und die beiden auch mal aufhören und weil der Abend noch lang ist. Dann werden sie *reden* müssen. Das ist bei weitem nicht so amüsant.«

»Die haben sich viel zu sagen. Wenn man zusammen ein neues Leben aufbauen will, da gibt's viel zu sagen.«

»Aber nicht alles ist so angenehm wie vorher, während es noch regnete. Wie alt ist er eigentlich? Oder besser: wie jung? Ich höre ja immer nur seine Stimme am Telefon . . .«

»Du hörst seine Stimme? Wie machst du das?«

»Wenn du morgens aus dem Haus gehst und sie dann sofort telefoniert, dann weiß ich, mit wem, und nehme den Hörer ab.«

»Kreuz! Das hätte ich dir nie zugetraut.« Er war blaß vor Empörung und Scham.

»Trottel. Anneliese weiß es natürlich, sie hört doch den Klick, und sie haßt mich, wie ich dir schon gesagt habe. Sie findet, ich müßte auf *ihrer* Seite sein. Warum eigentlich? Bloß weil ich sie vor vierundvierzig Jahren eine Weile in mir herumgeschleppt habe? Längst verjährt. Ich bin auf *deiner* Seite, *du* bist mein Sohn. Dich und deine Verzweiflung trage ich täglich mit mir herum.«

Nach einer Weile sagte er: »Und was geschieht jetzt? Was tut man in dieser banalen Kalamität?«

»Die Nerven behalten. Also: Hör auf mit dem Trinken!«

Er stützte den Kopf in die Hände, starrte auf das Tischtuch. »Kreuz, ich muß dir was beichten. Vorige Woche hat der Chef mich kommen lassen . . .« Er stockte.

»Na?«

»Er sagte, was *du* eben gesagt hast, und er habe kein Verständnis für so was, und so weiter. Du kannst dir's denken.«

»Und da hast du trotzdem eben beinah eine ganze Flasche runtergespült? Bist du wahnsinnig?«

»Kreuz, versteh doch, es ist mir jetzt alles egal, sowieso. Ich *will* mich ruinieren.«

»Damit sie Mitleid mit dir hat. Wie jeder Waschlappen willst du sie durch Mitleid erpressen. Fällt dir nicht mal was Originelles ein?«

Er schüttelte den Kopf. »Nein. Weil ich keine Chance mehr habe.«

»Henrik, hör zu! Sieh mich an dabei, vielleicht hörst du mich dann: Du *hast* eine Chance. Es ist nur die Frage, wer die besseren Nerven hat.«

Der Regen pladderte nur noch schwach gegen die Fensterscheiben, aber das genügte, denn es waren schräge Scheiben, die eine ganze Wand bildeten, die Nordwand des Ateliers. Das sanfte, rhythmische Getrippel hörte sich an wie der Ausklang einer weit entfernten Rockmusik. Anneliese, den Kopf auf der Brust des jungen Mannes, murmelte: »Ein Bier wäre jetzt genau das Richtige, meinst du nicht auch?«

»Bier? Ich habe nur eine halbe Flasche Chianti, genügt das?«

»Natürlich, natürlich. Ganz herrlich.«

Er sprang aus dem Bett, warf sich seinen alten Bademantel um.

»Zieh dich an«, rief er im Hinausgehen. »Es ist plötzlich kalt geworden, und die Heizung funktioniert wieder mal nicht.«

»Das macht doch nichts«, rief sie hinter ihm her. »So was stört mich überhaupt nicht.«

Später saßen sie an dem langen, schmalen Ateliertisch einander gegenüber. Sie hatten in die Phalanx der Farbtuben, Terpentinbehälter, Malmittelflaschen und Einweckgläser voller Pinsel eine Bresche geschlagen, um zwei Tellern Platz zu machen. Zwischen diese war ein mit kleinen Kerzen dekorierter Kuchen gezwängt, der auf einem Stück Pergamentpapier lag. Es roch stark nach den Resten von kaltem Huhn auf den Tellern und nach Terpentin. »Ein herrlicher Geruch«, hatte Anneliese gerufen und in der Luft geschnuppert. »Ich bin ein Nasenmensch.«

»Herrlich? Findest du?« fragte Antonio. »Ich bin so dran gewöhnt, ich riech's nicht mehr.«

Er war Maler von Beruf, kürzlich dreißig geworden, Italiener von Geburt, aber mit deutscher Mutter, seit einem Jahr Anneliese Lehrer im Abendkurs des städtischen Kunstvereins und seit zwei Monaten ihr Liebhaber.

Sie hielt ein kleines ungerahmtes Gemälde in den Händen und betrachtete es gerührt.

»Ich hab' noch niemals in meinem Leben ein so kostbares Geburtstagsgeschenk bekommen. Wie heißt dieser Ort?«

»Porto di Santo Stefano.«

»Da bist du also immer, wenn du Urlaub machst.«

»Jedes Jahr.«

Sie vertiefte sich noch mehr in die kleine Landschaft und sagte, ohne aufzusehen: »Diesmal komm' ich mit.«

»Es ist primitiv dort, ich wohne bei einem Fischer.«

»Herrlich.«

»Es gibt keinen Friseur weit und breit.«

»Ich lass' mir die Haare ganz kurz schneiden, dann brauch' ich keinen.«

»Das wird dir gut stehen«, sagte er und lehnte sich über den Tisch, um ihre langen, dunklen Haare zu streicheln. »Du wirst wie ein kleiner italienischer Bub aussehen. So werde ich dich malen, am Strand, mit den Netzen. Und jetzt blas die Kerzen aus, das bringt Glück. Aber mit einem einzigen Atemzug.«

Sie tat ihr Bestes, doch es blieben zwei übrig. Er blies sie rasch aus, so daß sie im Halbdunkel saßen. Forschend betrachtete sie ihn über den schmalen Tisch hinweg.

»Du weißt, daß du gemogelt hast, nicht wahr? Ich hab' eben nachgezählt. Da sind nur zweiunddreißig Kerzen auf dem Kuchen. Es hätten genau ein Dutzend mehr sein müssen.«

Er griff nach ihrer Hand und legte sie an seine Wange. »Es ist mir ganz egal, wie alt du heute wirst, das sind doch alles nur Zahlen. Alter existiert nicht für mich. Ich kaufte kleine Kerzen und schmückte den Kuchen. Hab' sie nicht gezählt.«

Sie zog ihre Hand sanft zurück und legte sie mit der anderen gefaltet auf den Tisch wie ein ernstes Kind. »Ich hab' *auch* ein Geschenk für dich.«

»Wieso? *Du* hast doch Geburtstag.«

»Ich lasse mich scheiden«, sagte sie langsam.

Er sah sie erstaunt an und schwieg. Sie beugte sich ein wenig vor und flüsterte: »Nein, nein, sag nichts – ich hab's mir gut überlegt. Morgen spreche ich mit Henrik.« Dann lehnte sie sich wieder zurück und fügte grimmig hinzu: »Und mit meiner Mutter.« Als er noch immer schwieg, sagte sie lächelnd: »Da staunst du, was?«

Ein, zwei Sekunden Stille. Dann sagte er: »Wo willst du denn wohnen?«

»Hier! Wo denn sonst?« Sie beschrieb mit der Hand einen weiten Bogen und blickte voll Zärtlichkeit auf die Kochecke, die vielen Leinwände, die gegen die Mauern lehnten, die zwei großen, verhüllten Skulpturen, die Staffelei, das Bett im Dachwinkel. »Wir stellen noch ein kleines Bett rein – irgendwo wird sich schon ein Platz finden –, und dann ist dies das schönste Zimmer, das ich je gesehen habe. Gar nicht zu reden, was man alles daraus machen könnte . . .«

Sein Blick war ihrer Hand nicht gefolgt, sondern auf ihr Gesicht gerichtet geblieben. Jetzt hob er die Augenbrauen. »Was man alles daraus machen könnte? Vorläufig würde ich sagen: Wovon werden wir leben?«

»Du verdienst doch was! Nicht viel, aber . . .«

»Eben. Genug für mich, aber nicht für zwei.«

Sie zuckte mit den Achseln. »Irgendwie werden wir's schon schaffen. Ich kann ja auch eine Stellung finden, ganz gleich, was . . .«

»Da wirst du dich aber wundern. Wer über fünfunddreißig ist, braucht auf die meisten Inserate erst gar nicht zu antworten.«

Ihre Hände glitten vom Tisch und fielen ihr in den Schoß. So saß sie ein paar Sekunden, ohne sich zu rühren, während er sie gelassen und gleichzeitig aufmerksam anblickte.

»Also doch mein Alter«, sagte sie leise. »Zweiunddreißig Kerzen plus zwölf.«

»Nein. Das ist es nicht. Es ist ganz einfach so: Ich will nicht gezwungen sein, Kompromisse zu schließen, billige Bilder zu malen, gefällige Skulpturen anzufertigen, weil ich jemanden ernähren muß. Ich will nicht davon abhängig werden, ob du einen Job hast oder nicht, das darf für mich einfach kein Problem sein, verstehst du? Das bißchen, das *ich* brauche, das verdiene ich mir mit Grafik, Buchumschlägen, solchen Sachen. Unter keinen Umständen will ich meinen Lebensstil ändern. Ich wundere mich wirklich, daß du in deinem Alter – *ja*, in deinem Alter, als erwachsener Mensch –, daß du das nicht einsiehst: Mein Leben hier mit dir und *dein* Leben hier mit mir wäre ganz unmöglich.« Er hatte sich richtig ereifert. So hatte sie ihn noch nie reden hören, als hätte sie sein »Gebiet« angegriffen, sein Territorium.

Hilflos und daher töricht flüsterte sie: »Und die zwei letzten Monate?«

»Die waren schön.« Das war der Stand der Dinge, ungeschmälert, unverblümt.

Sie stammelte, noch immer auf dem alten Geleise: »Aber, ich hab' geglaubt . . .« Und blieb endlich stecken.

Da sie nichts mehr sagte, fragte er: »Was? Was hast du geglaubt? Habe ich auch nur einmal . . .«

Sie fiel ihm schnell ins Wort: »Nein, das hast du nicht. Nein, nein, niemals.« Dabei sah sie angestrengt auf die hölzerne Tischplatte, als müßte sie etwas aus der Maserung lesen. Dann hob sie den Kopf und lächelte. »Ein Mißverständnis, Antonio. Entschuldige.« Sie schüttelte noch ein paarmal den Kopf, als staune sie über sich selbst. »Entschuldige, wirklich. Manchmal seh' ich den Wald vor lauter Bäumen nicht. Einfach nur . . . dumm. Du, ich muß jetzt nach Hause. Danke dir für den schönen Geburtstag, mit den Kerzen und allem.«

Sie ging zur Tür, und er folgte ihr und half ihr in den Mantel. »Warte doch noch einen Augenblick«, sagte er, obwohl er selbst nicht wußte, worauf. Dann fiel ihm etwas ein. »Das Bild. Willst du das Bild nicht mitnehmen?«

»Ein andermal, Antonio, ein andermal. Aber auf jeden Fall, tausend Dank dafür.«

Sie öffnete die Tür und stieg schnell die enge Treppe hinunter, hörte noch, wie er von oben »Anneliese!« rief.

Draußen war es stockdunkel, keine Laterne weit und breit, doch der Regen hatte aufgehört. Auf der anderen Straßenseite stand ihr VW. Die Tür war offen, der Schlüssel steckte noch. Nein, so was, dachte sie, ich hatte es viel zu eilig, als ich heut' abend hier ankam.

Sie fuhr los, ohne das Licht anzuschalten, sah nichts, fuhr über den Randstein, gegen eine Bank und schlug mit dem Kinn auf das Lenkrad.

»Au«, sagte sie leise und fühlte den Schock und den Schmerz. Beides tat ihr gut.

In Henriks Zimmer brannte die Nachttischlampe. Er lag da, die Arme unter dem Kopf verschränkt, und starrte an die Decke. Von Zeit zu Zeit blickte er auf die Uhr neben sich. Halb drei. Jetzt würde sie nicht mehr kommen. Sie würde einfach »da«bleiben und ihm einen Brief schicken: »Lieber Henrik, es tut mir sehr, sehr leid . . .«

Draußen fuhren hin und wieder Autos vorbei. Zuerst hatte er sich jedesmal erwartungsvoll im Bett aufgesetzt, gelauscht und mit fest zusammengekniffenen Augen und geballten Fäusten zu erzwingen versucht, daß es ihres war und anhielt. Das hatte er inzwischen längst aufgegeben. Manchmal fuhr auch ein Lastwagen vorbei, der das kleine Zimmer und sein Bett ein wenig erschütterte. Alles war ihm willkommen, alles war besser als die tödliche Stille.

Gegen vier Uhr wieder ein Auto – es hielt! Hielt vor der Garage! Er hielt den Atem an. *Ja!* Die Garagentür wurde aufgemacht . . . noch einmal der Motor . . . Garagentür zu . . . dann Schritte, langsame, schwere Schritte . . . Stolpern . . .

Er sprang aus dem Bett und lief zur Tür, öffnete sie einen Spalt, spähte in die dunkle Diele.

Ein Schlüssel wurde wiederholt angesetzt, jemand tastete mit ihm herum . . . fand das Loch nicht. War sie betrunken? Zur Feier des Tages? Jetzt klappte es endlich, und die Tür öffnete sich ganz langsam. Er sah ihre Silhouette gegen den Lampenschein im Garten, geduldete sich, bis sie das Licht anmachen würde. Aber sie schloß die Tür hinter sich und war mit einem Schlag unsichtbar.

Er wartete. Sie rührte sich nicht, aber er hörte sie atmen. Was tat sie bloß dort an der Haustür, im Stockdunkeln? Ob er das Licht anmachen sollte? Lieber nicht, es würde sie wütend machen, wenn sie sich entdeckt sah, betrunken . . .

Ein dumpfer Aufprall. Sie war hingefallen.

»Anneliese!« schrie er und machte Licht, lief und kniete neben ihr am Boden, murmelte immer wieder »Um Gottes willen« vor sich hin. Sie war, meinte er, ohnmächtig. Aber warum, was war geschehen? Er drehte vorsichtig ihr abgewandtes Gesicht zu sich herum und sah eine kleine Blutspur am Kinn.

»Anneliese!« schrie er wieder, und zu seiner Überraschung öffnete sie die Augen.

»Nichts«, murmelte sie. »Es ist nichts.«

»Der Kerl hat dich geschlagen! Ich bring' ihn um!«

»Unsinn. Der Wagen – ich bin mit dem Wagen . . .«

»Du hast einen Unfall gehabt?« Sie nickte. »Hast du dich verletzt, hast du Schmerzen?«

»Nichts«, flüsterte sie. »Überhaupt nichts.«

Vorsichtig setzte er sie auf, einen Arm unter ihrem Nacken, betrachtete sie angsterfüllt – und sah plötzlich die geschwollenen, rotverweinten Augen.

»Es ist aus?« fragte er leise.

Sie antwortete nicht, schloß die Augen, während er sie sprachlos anstarrte. Noch konnte er's nicht begreifen, noch war es nicht wirklich durchgedrungen. Aber dann fiel es über ihn her und schüttelte ihn so, daß er aufspringen mußte und sich mit hocherhobenen Armen, in biblischer Ekstase, einmal um sich selbst drehte. Dann beugte er sich wieder nieder und hob sie wie ein Kind auf, einen Arm unter ihren Schul-

tern, den anderen unter den Kniekehlen, trug sie ins Schlafzimmer und legte sie der Länge nach aufs Bett. Sie ließ alles
mit sich geschehen.

Einen Augenblick lang stand er vor ihr und blickte voll Spannung auf sie hinab, wollte noch etwas fragen – lieber nicht. Er
beugte sich über sie, befühlte ihre Hände und ihr Gesicht: eis-
kalt. Er hob den Kopf, als lausche er auf etwas, hörte ganz
deutlich Kreuz' Stimme: Hör mich an, sieh mich an, Nerven
behalten, Chance . . .

Er lief ins Badezimmer, drehte das heiße Wasser der Badewanne an und rannte zurück, begann, sie auszuziehen, erst
die Schuhe und die Strümpfe, raste wieder ins Badezimmer:
Die Wanne war schon dreiviertel voll. Auf den Glasplatten
daneben standen Annelieses Badeöle. »Mein einziger Luxus«, sagte sie immer, und das Kreuz rief dann »Der einzige?
Gott helfe uns!« Sie liebte es nun mal, sich in heißem, stark
duftendem Wasser einzuweichen, »wie in einem türkischen
Harem«. Ein Flasche nach der anderen riß er herunter und
leerte den Inhalt in hohem Bogen in den Wasserstrahl, sang
dazu aus vollem Hals. Dann lief er, immer noch singend, ins
Schlafzimmer zurück und zog ihr schnell die Kleider vom
Leibe. Sie ließ sich wie eine Puppe hin und her rollen, ließ
sich ins Badezimmer tragen und vorsichtig ins heiße Wasser
setzen. Es schwappte über und lief über die Fliesen. Er merkte
es nicht, kniete vor der Badewanne im knöcheltiefen Wasser,
die Pyjamahose durchnäßt. Annelieses Kopf war rücklings
auf den Wannenrand gekippt. Sie hielt die Augen immer
noch fest geschlossen – war sie wieder bewußtlos?

Er schlang ihren Arm um die Wasserhähne, damit sie nicht
absacken konnte, raste aus dem Badezimmer und kehrte mit
einer Flasche Cognac zurück, zog ihr vorsichtig die Lippen
auseinander und goß ein paar Tropfen in ihren Mund. Sie
verschluckte sich, hustete und öffnete die Augen, starrte ver-

wirrt auf den weißen Schaum, der sie bis zum Kinn sanft umrahmte.

Er setzte sich neben die Wanne auf den Toilettendeckel, nahm einen kräftigen Schluck aus der Flasche, pfiff leise vor sich hin, gab ihr Zeit.

»Na, siehst du. Jetzt kannst du schon allein aufsitzen, nicht wahr?«

Keine Antwort. Er hielt ihr die Flasche hin, aber sie wandte den Kopf ab.

»Brauchst du nichts mehr? Ich schon.«

Sie versuchte, ihn anzusehen, und verzog den Mund, als wolle sie lächeln, alles ganz langsam, wie im Traum.

»Wie ist denn das passiert – mit dem Wagen?«

»Ich weiß nicht«, murmelte sie. »Es war sehr dunkel . . . plötzlich stand da eine Bank . . . mitten auf der Straße . . . warum . . . warum riecht es hier so seltsam?«

Er zeigte stolz auf die leeren Glasplatten. »Dein türkischer Harem – alles in der Wanne.«

Jetzt schaffte sie es und lächelte. »Ist das ein Gestank!«

»Nicht wahr? Ich bin schon ganz betrunken vom Geruch.«

Sie blickte auf die Cognacflasche in seiner Hand. »Nicht *nur* vom Geruch.«

Sie pflaumte ihn an! Wie früher, wie damals! Hingerissen kniete er wieder im Wasser vor ihrer Wanne.

»Anneliese, Anneliese! Sag's mir doch!«

»Was?«

»Sag mir . . . warum. Warum war das . . . mit ihm? Sag's mir. Ich schwör' dir, ich kann's aushalten, aber sag's mir. War's . . . das Bett?«

Sie starrte wieder in den weißen Schaum, wäre gern versunken in den zackigen kleinen Bergen und Tälern, die leise hin und her wogten, dampfend und duftend.

»Sag's mir!« drängte er neben ihr.

»Das Bett«, wiederholte sie langsam. »Nein. Das nicht. Er war gar nicht . . . so berühmt. Nein, das war's nicht.« Sie verstummte.

»Was dann?«

Der Dampf hilft, dachte sie, hilft auseinanderklauben . . . Sie wandte den Kopf und sah an ihm vorbei durch die offene Badezimmertür ins Schlafzimmer und durchs Schlafzimmer in die Diele: alles so hübsch, so ganz besonders hübsch, sorgfältig zusammengestellt und abgestimmt, ohne großen Luxus, aber »ein Schmuckstück«, wie alle sagten.

»Das hier, das alles, weißt du, das ist alles schon *da*. Es ist hübsch, aber es hat diesen Fehler: Es ist *da*. Und bei ihm, in seiner Bude, da hatte ich immer das Gefühl – da war's wie bei uns damals, nach dem Krieg. Ach, war das schön. Wir hatten nichts und liefen herum und suchten und feilschten und trugen es anschließend nach Hause, im Triumph.« Sie schwieg und atmete tief ein. Dampf und Harem entspannten und betäubten – und alles wurde ganz allmählich klar. »In seiner verstunkenen Bude, da hab' ich mich wieder jung gefühlt und nützlich. Ich hab' geglaubt, Antonio braucht mich . . .«

»Und ich?« unterbrach er sie heftig. »Brauch' ich dich *nicht*? Und das Kreuz? Braucht die dich *nicht*?«

»Ach, das Kreuz! Die hat dich.«

»Übrigens«, sagte er zögernd, »es ist durchaus möglich, daß wir dies alles hier nicht mehr lange haben werden.« Sie sah ihn fragend an. »Ich hab' mir da so einiges zuschulden kommen lassen, hab' oft einen Kater gehabt . . . Meine Arbeit war auch sonst nicht gerade berühmt . . . Vielleicht werden sie mich nicht behalten . . . Es ist möglich, daß wir hier ausziehen müssen. Du, Anneliese, da könnten wir ja irgendwo eine verstunkene Bude auftreiben und wieder von vorn anfangen. Würde dir das gefallen?«

Es dauerte eine Weile, bis sie antwortete. »Ich glaube, ich weiß jetzt, daß es auch nicht gegangen wäre, wenn Antonio mir erlaubt hätte, dortzubleiben und . . . und was auf die Beine zu stellen. ›Häusle baue‹, ich weiß. Das macht immer Spaß. Im ›Häusle lebe‹ – weniger aufregend. Ich glaubte im Ernst, ich sei noch ganz jung, aber es ist nicht wahr, ich bin bloß nicht erwachsen.«

»Und ich? Bin *ich* erwachsen?«

»Nein, du auch nicht. Nur das Kreuz ist erwachsen. Wenn sie's einem nur nicht dauernd unter die Nase reiben würde! Gib mal sofort den Cognac her, damit ist es jetzt vorbei.«

Er hob die Flasche hoch, aber er gab sie nicht her. Langsam und bedächtig goß er den ganzen Inhalt ins Badewasser, und beide sahen zu, wie sich der Schaum bräunlich färbte.

Plötzlich sagte sie, ohne ihn aber dabei anzublicken: »Sag mal, meinst du, daß sich deine . . . deine Beziehung zu mir jetzt verändert? Ich meine, es wäre ja nur verständlich, es wäre ja ganz normal . . . Ist denn bei dir überhaupt noch genug da . . . für uns?« Er beugte sich vor, legte seinen Kopf auf ihre Schulter und nickte so heftig, daß der braune Schaum einen Bart um sein Kinn bildete.

»Mein Gott . . .«, kam eine Stimme durch die offene Tür. Das Kreuz, im Nachthemd, mit rosa Lockenwicklern um den Kopf wie eine Seerose, trat über die Schwelle – und schrie laut auf, als sie mit bloßen Füßen ins Wasser platschte. »Was ist denn das hier für eine Schweinerei?«

Henrik in seinem nassen Pyjama, einen triefenden Ärmel um Annelieses Hals, lächelte ihr selig entgegen. Beide waren mit braunen Schaumkringeln tätowiert. Anneliese sah ernst aus. Aber nicht unglücklich, dachte ihre Mutter und wagte, mit leiser Stimme zu fragen: »Soll das heißen . . .«

Die Tochter nickte, und Henrik rief: »Es ist aus! Es ist aus! Was dem einen sin Ul, ist dem andern sin Nachtigall.«

Der Zug nach Rom

Nach dieser Sendung bekam ich viele Briefe, alle mehr oder weniger desselben Inhalts. Viele begannen etwa so: »Liebe Frau Palmer, ›Der Zug nach Rom‹ ist uns auch passiert . . .« Und dann kam eine genaue Beschreibung des jeweiligen Falls. Manchmal handelte es sich um den Sohn, manchmal um die Tochter. Dasselbe Problem, verschiedenes Verhalten, der gleiche oder auch der entgegengesetzte Rückprall – und schließlich Resignation und die immergrüne Hoffnung: Vielleicht ist doch alles zum besten, wer weiß.

Na, was hab' ich euch gesagt?« rief Georg und streckte die Hand flach aus. »Der erste Regentropfen. Schnell! Alles rein ins Haus.«

Horst und die beiden jungen Mädchen sprangen auf und klappten ihre Liegestühle zusammen. Nur Brigitte blieb unbeweglich liegen und starrte in die Luft, als habe sie nichts gehört.

»Der Junge war in letzter Zeit so merkwürdig«, sagte sie und blickte gedankenverloren zu ihrem Mann hinüber, der vergeblich versuchte, den großen Gartenschirm zuzumachen. Ein starker Wind fegte plötzlich über den Rasen und warf um, was noch stand, darunter den Tisch mitsamt Kuchen und Kaffeegeschirr, Büchern und Schachspiel.

»Brigitte! Komm doch her! Siehst du denn nicht . . .«

Der Wind hatte den Schirm von unten erfaßt und umgeworfen, Georg konnte ihn nun endlich schließen.

»Brigitte!« schrie er aufgebracht. »Tu doch was! Meine Zeitungen!«

Sie griff nach den losen Blättern, die gerade an ihr vorbeitanzten, setzte den Fuß auf andere, die im Anmarsch waren, und ging zu Georg hinüber, der den Gartenschirm fesselte, als sei er ein gebändigtes Tier.

»Ich sage dir, der Junge war in der letzten Zeit merkwürdig. Hier sind deine Zeitungen – mein Gott, es regnet ja!« Sie blickte sich um und sah ihre drei Kinder wie aufgescheuchte Hühner durcheinanderlaufen und gleich darauf im Rasen auf allen vieren nach den Schachfiguren suchen.

»Was heißt ›merkwürdig‹?« rief Georg durch das Windgetöse, das ihm das Haar zerraufte. »Kannst du dich nicht präziser ausdrücken?«

Sie streckte ein Bein aus, um die vorbeijagende Tischdecke abzufangen. »›Merkwürdig‹ ist ein präziser Ausdruck für etwas, was man nicht präzis beschreiben kann.« Sie hob den Kopf, schloß die Augen und ließ die ersten Regentropfen auf ihr Gesicht fallen. »Ah, das tut gut. Mein Kopf ist ganz . . . wirr.«

»Was ist an Martin merkwürdig? Nun sag's schon. Du machst dir doch nicht ernstlich Sorgen, weil der Junge mal zu spät nach Hause kommt? Er ist schließlich achtzehn, so gut wie erwachsen.«

Sie schüttelte den Kopf und setzte sich langsam in Bewegung. »Er sieht mich komisch an. Schon seit einiger Zeit. Dich übrigens auch.«

»Kriegt er genug Taschengeld?«

Der Wind peitschte ihm plötzlich einen ganzen Streifen Regen ins Gesicht, und sie liefen beide über den Rasen zum Haus.

»Niemand hat genug Taschengeld, auch die, die genug kriegen«, rief Brigitte, während sie rannte.

Im Wohnzimmer lagen nasse Kissen auf dem Teppich, Geschirr, Bücher, Sandalen und allerlei Kram waren wahllos über das Parkett verstreut. Horst, Inge und Anna knieten auf dem Boden, zählten nach und reinigten die Sachen.

»Hier ist es ja stockdunkel«, rief Georg. »Macht doch mal Licht! So, und jetzt kommt mal alle her. Wo ist Martin?«

Schweigen.

Brigitte ging zum Fenster und starrte in den Garten hinaus,

wo sich die Büsche unter dem Sturm und dem Regen wanden.

»Ich möchte wissen«, fuhr Georg mit erhobener Stimme fort, »wann er am Donnerstag nach Hause kommt.«

»Um drei Uhr spätestens«, sagte Inge. »Auch wenn er Handball spielt.«

Horst sagte: »Mensch, Inge! Niemand in seiner Klasse spielt jetzt Handball, so kurz vor dem Abitur.«

»Wo kann er dann sein? Gehen wir alles mal der Reihe nach durch: Die Schule ist um zwei Uhr aus . . .«

»Vater, er war heute sicher nicht in der Schule«, sagte Horst. »Wir dachten, er kommt von selbst . . . und sagt es euch.«

»Was?« Georg und Brigitte wie aus einem Mund.

Die drei jungen Leute sahen sich verstört an.

»Na, daß er ausziehen will«, sagte Horst zögernd.

»Was will er?«

»Ausziehen, Mutter, nicht mehr zu Hause wohnen.«

Georg trat einen Schritt vor und sah sie alle der Reihe nach an: Horst, den Ältesten, schon zweiundzwanzig, dann Inge, gerade zwanzig, und schließlich Anna, noch nicht ganz neunzehn.

»Raus mit der Sprache! Wenn ihr so einträchtig nebeneinandersteht, dann stimmt was nicht. Also? Was ist los? Er will ausziehen? Ich habe keine Kündigung bekommen, bin ja wohl immer noch der Hauswirt hier, oder?«

Sie sahen sich hilflos an, blickten zu Boden.

»Und warum kündigt er?« fragte Brigitte.

Draußen blitzte und donnerte es fast gleichzeitig. Horst wartete, bis das Grollen verebbte: »Weil wir eine scheißbürgerliche Familie sind, sagt er.«

»Eine was?« Georg blickte hilfesuchend zu seiner Frau.

»Was siehst du *mich* an? Das war eine präzise Bezeichnung, präziser geht es nicht.«

»Wir wissen *auch* nicht, was mit ihm los ist«, sagte Inge.

»Er spinnt«, piepste Anna. »Ich hab' versucht, es ihm auszureden . . .«

»Wir haben's alle versucht, aber da ist er richtig sauer geworden«, sagte Horst.

Georg nahm seine Brille ab und reinigte sie am Hemdsärmel. Ohne Brille sah er immer viel jünger aus und wie entwaffnet.

»Was ist denn so scheißbürgerlich an uns?«

»Er sagt, alle positiven Impulse würden in ihm unterdrückt, er könne sich nicht entfalten, er sei auf einem toten Geleise . . .«

»Und wo will er sich jetzt entfalten? Hat er ein lebendiges Geleise gefunden?«

»Keine Ahnung, Vater, wir haben das doch nicht ernstgenommen . . .«

»Moment mal«, sagte Brigitte und ging aus dem Zimmer – gerade, als das elektrische Licht ausging. »Macht nichts«, rief sie von der Diele her. »Ich finde auch so nach oben. Inge, eine Kerze!«

Sie hatte sich im Dunkeln zu Martins Schrank getastet und die Türen bereits geöffnet, als Inge mit der Kerze in der Tür erschien. Hinter ihr Horst und Anna, und zuletzt Georg.

»Seine Anzüge sind weg . . . die Hemden auch. Ein paar hab' ich gestern gewaschen, die hängen noch unten auf der Leine. Die Socken hat er auch mitgenommen . . .« Sie fingerte oben auf dem Schrank herum. »Pfui Deibel, ist das ein Staub – nein, der braune Koffer ist nicht mehr da. Ausgezogen.« Sie drehte sich um und betrachtete die Gruppe an der Tür. »Ihr seht ja ganz dämonisch aus! Kerzenlicht, Sturm und Martins Verschwinden – es paßt alles zusammen, findet ihr nicht?«

Niemand antwortete. Im Treppenhaus ging plötzlich das Licht wieder an.

»Gott sei Dank«, sagte Brigitte. »Mir war schon ganz gruselig«, und sie stieg an ihnen vorbei hinunter ins Wohnzimmer.

Georg und die drei jungen Leute standen noch da und betrachteten das verlassene Zimmer mit dem offenen, ausgeräumten Schrank.

»Kommt«, sagte Georg endlich. »Jetzt wissen wir's. Er ist weg. Wir brauchen uns nicht mehr um ihn zu sorgen.«

»Ich schon«, murmelte Horst. »Er sprach in letzter Zeit von einem Freund, einem neuen Freund, den Namen hat er nicht gesagt, aber ich glaube, der ist Ausländer. Martin kaufte neulich plötzlich ein Deutschbuch für Anfänger . . .«

»Na, so was läßt sich doch herausfinden«, sagte Georg, plötzlich energisch. »Vielleicht weiß einer seiner Freunde, wer das sein kann. Kommt jetzt alle runter! Horst, hol mal das Telefonbuch!«

Unten im Wohnzimmer warf Inge einen Blick auf ihre Mutter, die etwas abseits in ihrem Sessel saß, den Kopf in die Hand gestützt.

»Der kommt bestimmt schnell wieder, Mutter, das hält der nicht durch.«

»Was?« fragte Brigitte rauh. »Was hält er nicht durch?«

»Na, es ist doch nicht einfach, sich so durchzuschlagen, allein, ich meine . . .«

»Er hätte sich erst mal durch die Schule schlagen sollen. Ich finde, *da* hat's ihm schon an Schlagkraft gefehlt.«

Das Mädchen nickte und murmelte: »Vier Monate vorm Abitur! So was Verrücktes.«

Horst erschien mit dem Telefonbuch.

»Wie heißt der, mit dem er immer zum Handball gegangen ist?«

»Berkhammer, Heinz Berkhammer. Der Vater hat was mit Möbeln zu tun.«

»Berkhammer . . . hier. Horst, ich rufe an, und du suchst die Nummern von allen seinen Freunden raus . . . Hallo? Herr Berkhammer? Hier spricht Dr. Schwartz, Martins Vater . . . Richtig, die beiden sind in einer Klasse. Ist Martin zufällig gerade bei Ihnen? . . . Nein, nein, stören Sie Ihren Jungen nicht, ich dachte nur . . . zufällig . . . Es ist nicht wichtig. Entschuldigen Sie bitte die Störung, Herr Berkhammer.« Er legte auf, murmelte: »Der ist zu Hause und büffelt, der junge Berkhammer. Der nächste?«

»Frankmann. Der Sohn heißt Walter. Zwoundsiebzig – sechsundsechzig – zehn.«

»Hallo? . . . Hier spricht Dr. Schwartz. Ist Martin vielleicht . . . Ah, du bist es, Walter – ich darf doch noch du sagen?« Er räusperte sich. »Hör mal, Walter, weißt du vielleicht, wo Martin sich rumtreibt? . . . Ja, deswegen rufe ich an . . . Äh . . . Walter, habt ihr vielleicht einen Ausländer in der Klasse? . . . Nein, nein, ich habe einen bestimmten Verdacht . . . Überhaupt nicht, ich habe nichts gegen Türken . . . Warum soll er kein netter Kerl sein . . . Darum handelt es sich nicht . . . Ich mag Türken sogar besonders gern! . . . Nein, laß nur, laß nur! Auf Wiedersehen.« Er legte schnell auf. »Ist das zu glauben? Ob ich was gegen Türken hätte! Rassist! So eine Frechheit. Horst, glaubst du, es könnte ein Türke sein?«

»Das Lehrbuch war Deutsch-Italienisch, Vater. Hier ist der nächste: Hoffmann, Werner . . .«

Georg stand auf.

»Ich gefalle mir nicht, wie ich da hinter dem Jungen her telefoniere. So etwas hat es in unserer Familie noch nie gegeben.«

»Richtig«, rief Brigitte von ihrem Sessel her. »Laß es sein, Georg, wir spionieren ihm nicht nach.«

»Ich kann ja weitermachen – oder?« rief Horst.

»Tu das«, sagte Georg im Weggehen. »Du darfst. Eltern dürfen nicht.«

Oben im Schlafzimmer streckte sich Brigitte der Länge nach auf dem Bett aus, die Arme unter dem Kopf verschränkt, während Georg aus dem Fenster starrte. Sie schwiegen, lauschten auf den wütenden Regen.
»Wenn's doch endlich aufhören würde«, sagte er und trommelte an die Fensterscheibe. »Ich kann nicht arbeiten bei diesem Sturm. Gibt's kein Fundbüro für Jugendliche?«
Er ging zum Wandspiegel, nahm die Brille ab und besah sich von oben bis unten.
»Brigitte, bin ich scheißbürgerlich?«
Sie lächelte, zum erstenmal an diesem Nachmittag.
»Was immer du bist, bin ich auch.«
»Ach, du bist mal wieder nicht präzise . . .«
Es klopfte heftig an die Tür. Horsts Stimme: »Telefon! Martin! Auf Vaters Apparat.«
Georg und Brigitte drängten sich aneinander vorbei die Treppe hinunter. Er war schneller, sie konnte nur »Bleib *ruhig*, Georg, ich bitte dich!« flüstern.
»Wo bist du, Junge? . . . Was? Warum nicht? . . . Zum Teufel noch mal . . .«
»Georg!«
Aber er hörte sie nicht. »Du kommst sofort nach Hause, *sofort!* Und dann reden wir weiter . . . Was? . . .« Er deckte den Hörer ab und sagte empört: »Er verlangt dich!«
Brigitte nahm ihm den Hörer aus der Hand.
»Martin?« Sie sagte eine Weile nichts, hörte nur aufmerksam zu, während die Kinder langsam näher pirschten.
»Was sagt er? Was will er?«
»Er will sich verabschieden.«
Georg riß den Hörer wieder an sich.

»Martin, was heißt hier verabschieden? Du bist wohl . . .«
Sie entwand ihm blitzschnell den Hörer.

»Martin? Ich bin's wieder. Also?« Während sie zuhörte, ließ sie ihren Mann nicht aus den Augen. »Ja . . . aha . . . hm . . . hm . . .«

»Was heißt ›hm‹?« schrie Georg.

»Klar«, sagte Brigitte schnell. »Alles Gute, mein Junge, auf Wiedersehen.«

Das letzte bereits aus der Entfernung, denn Georg brüllte in den Hörer: »Nichts ist klar, du kommst nach Hause . . .« Er sah den Apparat sprachlos an. »Eingehängt!«

Er legte den Hörer auf und fiel in einen Stuhl.

Nach einer Pause, in der niemand sprach, rang er sich »Also? Wo ist er . . . Was hat er gesagt?« ab.

»Er macht eine Reise.«

»Reise?« rief Horst.

»Wohin?« fragte Georg mit gewaltsam beherrschter Stimme.

»Hat er nicht gesagt.«

Georg sprang auf, schrie: »Und du hast ihn nicht gefragt?«

»Nicht nötig. Ich weiß, wo er ist. Georg, ich sage dir: Laß mich das allein machen.«

Er sagte nichts mehr. Die Kinder machten Platz, und sie ging in die Diele und zog sich ihren Regenmantel an, drückte die Kapuze tief ins Gesicht.

»Bei *dem* Wetter«, sagte Georg unglücklich vor sich hin, als er hörte, wie die Haustür ins Schloß fiel.

Kein Taxi weit und breit. Dann also den Bus – hoffentlich schaffte sie es noch . . .

Am Hauptbahnhof stieg sie aus und lief die Treppen hinauf, nahm sich nicht einmal die Zeit, ihr nasses Gesicht abzutrocknen. Hunderte von Menschen drängten sich an ihr vorbei, jeder mit einem Ziel im Auge. Nur ich habe keins, dachte sie, das heißt, ich habe keinen *Plan*, keine Ahnung, was ich jetzt tun werde. Ich kann nur immer denken: So was geschieht jeden Tag – anderen Leuten! Und nun geschieht es *uns*. Mir. *Meinem* Sohn. Und irgendwie muß ich da durch.

Bahnsteig acht. Wie ausgestorben. Ob sie sich geirrt hatte? Oder war es zu früh? Nein! Da, ganz hinten, da saß jemand auf einer Bank.

Als sie näher kam, hörte sie Rockmusik. Er hatte seinen Kassettenrecorder mitgenommen, wiegte sich versunken hin und her.

Warum regt mich das auf, fragte sie sich, hab' ich erwartet, daß er hier sitzt und weint?

Er sah sie erst, als sie dicht vor ihm stand.

»Stell das doch mal ab«, sagte sie und setzte sich neben ihn, riß sich die Kapuze heftig vom Kopf.

Er gehorchte, starrte sie an, als sei sie ein Geist.

»Ich versteh nicht . . . Woher weißt du . . . Wie hast du mich gefunden?«

»Als du angerufen hast, hörte ich Bahnhofgeräusche und Lautsprecheransagen im Hintergrund. Am deutlichsten ›Zug nach Rom achtzehn Uhr fünfundvierzig‹.«

»Ach so. Ja. In zwanzig Minuten.« Er betrachtete sie abwehrend aus mißtrauischen Augen.

Halt den Mund, ermahnte sie sich, laß *ihn* erst sprechen.

»Ich fahre, Mutter. Ich fahre ganz bestimmt. Da kannst du machen, was du willst.«

»Du fährst nach Rom?«

»Ja.«

»Für Rom bist du zu warm angezogen.«

»Ich bin kein kleiner Junge mehr«, sagte er grimmig. »Du brauchst nicht mehr hinter mir herzugucken.«

»Alte Gewohnheit. Entschuldige!«

Er blickte geradeaus. Der Regen prasselte über ihnen auf das flache Dach des Bahnsteigs, so daß sie sehr laut sprechen mußten.

»Wartet jemand auf dich in Rom?« Und da er nicht antwortete: »Ich frage dich: Wartet jemand auf dich in Rom?«

»Ich hab' dich gehört, und es ist genau das, womit ich gerechnet habe: ›Jemand‹ wartet auf Martin, eine Nutte natürlich, nicht wahr?«

»Ich weiß es nicht. Vielleicht sagst du's mir.«

»Na gut, warum eigentlich nicht: Ich habe einen Italiener kennengelernt. Sein Vater hat in Rom eine Garage, mit einer eigenen Werkstatt. Ich kann da jederzeit anfangen. Ich versteh' was von Autos. Ich meine, da kann ich noch was dazulernen – und dann dort bleiben.« Er blickte in den dunklen Regen hinaus. »Raus aus diesem Scheißwetter.«

»Fährst du deshalb? Weil's regnet?«

»Bist du gekommen, um dich über mich lustig zu machen?«

»Ich fühl' mich nicht lustig, aber wenn du dich verulkt fühlst, dann sage ich noch einmal: Entschuldige!«

»Bist du hier, um mich abzuholen? Da wärst du besser zu Hause geblieben. Ich habe mich am Telefon verabschiedet, mehr kann ich nicht tun.«

»Du meinst, für *mich* tun. Ich bin aber gekommen, um was für *dich* zu tun.«

»Mach's kurz, Mutter! Der Zug wird bald einfahren. Ich kenn' dich doch, irgendwas hast du vor.« Er blickte sie mit zusammengekniffenen Augen an. »Aber ich werde in diesen Zug einsteigen, und wenn du mir gold'ne Berge versprichst.«

Sie schüttelte den Kopf. »Ich will dich an etwas erinnern, was du scheinbar vergessen hast.«

»An was?«

»An dein Abitur.«

»Was ist damit?«

Brigitte brauchte ein paar Sekunden, bevor sie ruhig weitersprechen konnte. »Ich meine: Was wird aus deinem Abitur?«

Martin lachte. Dann beugte er sich etwas vor und schaute ihr direkt in die Augen. »Da pfeif' ich drauf, verstehst du? Es kotzt mich an.«

»Aha.«

Gut, daß Georg nicht mitgekommen ist, dachte sie, ich glaube, sie hätten sich geprügelt. Das gibt's. Vater schlägt Sohn oder Sohn schlägt Vater. Das gibt's.

»Sag mal, wie lange gehst du jetzt zur Schule?«

»Ist doch ganz egal, Mutter, dreizehn Jahre oder so was.«

»Also gut zwei Drittel deines bisherigen Lebens. Und diese letzten vier Monate, die kannst du nicht mehr durchhalten?«

»Nein, Mutter, nein! Ich könnte natürlich, aber ich *will* nicht. Wozu denn bloß? Nichts als Zeitverlust.«

»Du hättest dann eine ganz andere Wahl, Berufswahl, meine ich, für dein Leben.«

»Ich *habe* gewählt, Mutter.«

»Automechaniker . . . versteh' ich das recht? Oder Garagenbesitzer? Ich frage dich ohne Ironie, ich verstehe nichts davon.«

»Das ist es ja, Mutter, du verstehst nichts davon, du nicht und Vater schon gar nicht. Er glaubt, ohne Abitur und Uni kann man nicht menschenwürdig existieren. Er sitzt in seinem Gehäuse und weiß nichts von der Welt.«

»Und du? Du weißt mehr davon?«

»Ja!« schrie er so laut, daß die ersten Reisenden, die jetzt langsam ankamen, erstaunt zu ihnen hinüberblickten.

»Das heißt also, daß dein Vater und ich umsonst gelebt haben, was die heutige Zeit anbetrifft.«

»So ist es, Mutter. Ich mein's nicht böse, aber so ist es. Ich muß raus aus dieser altertümlichen Familiengruft, ich halt's einfach nicht mehr aus.«

Sie schloß sekundenlang die Augen, wie immer, wenn sie sich bis zum äußersten anstrengte.

»Ich kann verstehen«, sagte sie dann langsam, »daß du nach Rom willst. Wir wollen alle irgendwann mal nach Rom oder sonstwohin, nur weit weg, weit weg von allem, besonders von der Familie.«

Er sah sie forschend an und murmelte: »Du bist ganz raffiniert, Mutter. Du tust so, als ob du einverstanden bist, weil du glaubst, so kriegst du mich weich . . .«

Sie unterbrach ihn lächelnd: »Aber das wirst du nicht, du wirst nicht weich.«

»Da kannst du dich auf den Kopf stellen. Ihr geht mir alle unheimlich auf die Nerven in der letzten Zeit, immer dasselbe, immer diese Mahlzeiten auf die Minute, immer diese Rücksichtnahme: ›Psst! Vater arbeitet‹ . . .«

»Mußtest du auch Rücksicht nehmen, wenn du in deinem Reich, in deinem Zimmer warst?«

»Nein. Aber in der Diele.«

»Das ist allerdings eine schwere Belastung, wie sich jetzt herausstellt. Und ich dachte immer, Rücksichtnahme ist etwas ganz Selbstverständliches! Du hast recht, ich habe wirklich keine Ahnung – oder ich hatte keine Ahnung, denn eben bin ich schon einen ganzen Schritt weitergekommen. Wenn ich daran denke, daß dein Vater dir befohlen hat, sofort nach Hause zu kommen . . .«

»Nicht wahr?« rief er eifrig. »Das ist doch geradezu lachhaft. Gut, daß du's selber merkst. Mir befiehlt keiner mehr, darauf kannst du dich verlassen.«

Brigitte legte ihrem Sohn die Hand aufs Knie und sagte langsam und beinah feierlich: »Da irrst du dich, Martin, da irrst du dich gewaltig. Du wirst noch viele ›Befehle‹ in deinem Leben zu hören kriegen, nur ohne die Sorge und die Anteilnahme, die bei deinem Vater dahintersteckt. Gleich jetzt in Rom

196

– meinst du wirklich, daß es in dieser Garage keine Regelung für Arbeitszeit und Mahlzeiten gibt? Daß da nicht ›befohlen‹ wird?«

»Schon«, sagte er trotzig. »Aber es ist leichter, fremden Leuten zu gehorchen als der Familie.«

»Auch das ist mir neu. Höchste Zeit, daß ich das lerne.« Sie blickte einen Augenblick vor sich hin, und als sie wieder sprach, war ihr Ton auf einmal nüchtern und energisch: »Ich meine, es ist *gut*, daß du gehst. Nur die Art, *wie* du gehst, die nehme ich dir übel. Du hast heimlich dein Geld von der Sparkasse geholt, nicht wahr? Dann hast du heimlich deinen Koffer gepackt und dich heimlich aus dem Haus geschlichen. Du hast gekniffen.«

Er öffnete den Mund, um zu widersprechen, aber sie hob die Hand: »Laß mich ausreden. Du bist jetzt nicht mehr ›mein Sohn‹, du hast dich von uns ›befreit‹ und triffst deine eigenen Entscheidungen. Ich hoffe, daß wir trotzdem befreundet bleiben. Erlaube mir, dir einen Rat zu geben: Wenn du das nächste Mal weglaufen willst, alles hinschmeißen, abhauen, weg von deinem Beruf oder von deiner Frau oder was immer – und so was wäre ja denkbar in deinem Fall, nicht wahr? –, dann habe den Mut, dich zu *stellen*. Sag's den Leuten ins Gesicht, sag ihnen, daß du gehst und warum du gehst – aber nicht wie ein Feigling am Telefon. Wir werden traurig sein, weil du uns dein Abitur vor die Füße geworfen hast – *dein* Abitur, nicht unseres –, aber wir werden uns damit abfinden. Womit ich mich nicht abfinden kann, ist die Art, wie du uns verläßt. Man kann sich beinah alles im Leben leisten, es kommt nur auf das Wie an.«

Er blickte stumm zu Boden.

»Ich glaube, da kommt dein Zug. Hoffentlich hat er einen Speisewagen, du hast doch heute noch nichts gegessen. Ich bin schon wieder ›fürsorglich‹! Entschuldige!«

»Sag nicht immer ›Entschuldige‹«, murrte er.

»Besser einmal zuviel als zuwenig.« Sie stand auf. »Schreib bald deine Adresse, ja?«

»Das könnte euch so passen!« Er sprang auf und griff nach seinem Koffer. »Damit ihr mir nachspionieren könnt, mich erpressen und mich nach Hause holen . . .«

»Ich wollte dir nur deine Hemden nachschicken, die noch auf der Leine hängen«, unterbrach sie ihn ruhig und hielt Ausschau nach der Lokomotive, die dröhnend und majestätisch anrollte. Dann wandte sie sich um und ging. Er lief ihr nach und hielt sie fest.

»Mutter, versteh doch, bitte!«

Sie blieb stehen, sah ihn gelassen an.

»Ich konnt's nicht mehr aushalten, und gerade da lernte ich Marcello kennen. Der fiel wie vom Himmel für mich! Und auf einmal sah ich alles ganz klar: die Scheißschule – Gerümpel! Und zu Hause – unerträglich. Jeder guckt einem auf die Finger, keine Minute allein, immer alle um mich herum . . . Mutter, glaub mir, *es ging nicht mehr.*«

Sie wandte die Augen von ihm ab und schaute der Lokomotive zu, die unter unheimlichem Getöse an ihnen vorbeikroch.

»Aufregend«, murmelte sie und sah ihr nach.

»Was sagst du, Mutter?« schrie Martin.

»Ich sagte: aufregend. So eine Lokomotive regt mich immer auf. Ich wollte, ich könnte mitfahren . . . nach Rom.«

Er sah sie erst verblüfft, dann mißtrauisch an. »Mitfahren?«

Sie mußte lächeln, als sie sein Gesicht sah. »Keine Angst, Martin, du fährst allein.«

»Mutter«, sagte er zögernd, als suche er nach etwas. Plötzlich warf er den Kopf zurück und rief laut: »Ich kann mir nicht helfen, ich *freu'* mich auf Rom!«

Sie nickte. »Mach's gut, Martin.« Dann drehte sie sich um und ging den Bahnsteig entlang.

Vor dem Bahnhof standen Taxis, und sie fiel in das erste, als versagten ihr die Beine den Dienst.

Gleich darauf, so schien es ihr, hielt es wieder, und sie war zu Hause angelangt und hörte Georgs Stimme: »Brigitte!«

Er lief über die Straße, einen Schirm in der Hand.

»Georg, du bist ja ganz durchnäßt! Hast du die ganze Zeit über gewartet? Vor dem Haus?«

»Hast du ihn gesehen?« Sie nickte. »Und? Er will nicht nach Hause kommen?«

»Er sitzt im Zug nach Rom.«

Georg blieb mitten auf der Fahrbahn stehen. »Nach Rom?«

»Komm«, sagte sie und zog ihn unter dem Schirm über die Straße.

»Wann ist er wieder zurück?«

Sie zuckte mit den Achseln, machte am Gartentor halt und sah drinnen im erleuchteten Wohnzimmer die Silhouetten der drei »Kinder« am Fenster.

Georg packte sie bei den Schultern. »Um Gottes willen, Brigitte! Was ist mit seinem Abitur?«

»Im Eimer.«

»Was? Er wollte doch Physik studieren . . .«

»*Du* wolltest, daß er Physik studiert.«

»Aber er hat doch immer gesagt . . .«

»Was *du* wolltest, hat er immer gesagt, weil er ein braver Junge war. Jetzt ist er plötzlich aufgewacht und wird das werden, was *er* will.«

»Und was ist das?«

»Automechaniker.«

»Automechaniker . . .«

»Jawohl. Eine präzise Bezeichnung, nicht wahr?«

»Brigitte . . .«

Die Tränen liefen ihr übers Gesicht. »Du sagst doch immer, wir sollten einen Mechaniker in der Familie haben mit unseren kaputten Autos und Motorrädern und Mopeds. Jetzt kriegen wir einen.«

»Brigitte!«

»Ich heule, obgleich ich eigentlich . . .« Sie unterbrach sich und starrte vor sich hin. Er umarmte sie, hielt sie unter dem Schirm fest an sich gepreßt. »Wir haben uns auf dem Bahnsteig ein paar . . . handfeste Dinge gesagt, es war keineswegs eine rührende Abschiedsszene. Und trotzdem, ich muß immer immer wieder an seine letzten Worte denken . . .«

»Was hat er gesagt?«

»›Mutter, ich freu' mich auf Rom‹, hat er gesagt, und ich kann's verstehen, Georg.«

»Verstehen?« rief er. »Was heißt hier ›verstehen‹? Rom! Ich würde dem Zug *nachlaufen*, wenn ich könnte.«

»Aber du kannst nicht. Weil wir alle wie Steine an deinem Bein hängen.«

Er drückte sie noch fester an sich. »Und was wäre ich ohne meine Steine?« Er blickte zum Wohnzimmer, sah die drei Gesichter am Fenster.

»Komm, wir müssen's ihnen sagen. So was kommt halt vor – auch in unserer Familie.«

Sie nickte stumm, und sie gingen umschlungen ins Haus.

Schwiegertöchter oder
Das richtige Stück Käse

Die beiden abschließenden Geschichten sind noch nicht gedreht worden, aber wer weiß, vielleicht wird es auch nächstes Jahr wieder eine Frau geben, die eine Frau bleibt ...
Zum Thema Schwiegertöchter: Ich habe deren zwei, und dabei wird's auch bleiben, glaube ich. Hoffe ich. Allerdings – man kann nie wissen. Meine erste Schwiegermutter hätte, wenn sie so lange am Leben geblieben wäre, deren sechs gehabt. (Bei nur einem Sohn. Wie ich.)
Es ist gar nicht so einfach, hintereinander mehrere Schwiegertöchter zu haben, besonders, wenn man sie alle ins Herz geschlossen hat. Ein Ehemann (oder eine Ehefrau) kann sich den Partner »abschminken«, wie es jetzt so treffend heißt. Die Schwiegermutter hat's nicht so leicht. Sie hat Gefühle investiert, und wenn die Ehe auseinanderbricht, geschieht das aus Gründen, die (meistens) nichts mit ihr zu tun haben. Dann sitzt sie da mit ihren Gefühlen.
Und dann das andere Problem: Wem gehört ihre Loyalität? Dem eigenen Kind – oder fühlt sie sich der Gerechtigkeit verpflichtet, was manchmal heißt: der angeheirateten Partei?
Es ist eine große Erleichterung, wenn sich Schwiegertöchter gut verstehen. Das liegt natürlich auch am Ehemann. Der Herzog von Westminster war darin vorbildlich: Seine vier geschiedenen Frauen spielten sogar gemeinsam Bridge, und in London wurde das »Westminster Bridge« genannt.

Heute! dachte Käte Schlosser. Heute ganz bestimmt. Es war Samstag und schönes Wetter. Also keine Ausreden mehr: Heute wird die Garage angestrichen, komme, was wolle.

Eine alte Bluse, dazu die Jeans ihres verstorbenen Mannes, Farbtopf, Pinsel, Transistor mit Kassette von »Don Giovanni« – und rauf auf die Leiter.

Das Duett aus dem ersten Akt! Plötzlich kamen ihr die »passenden« Texte aus der Schulzeit wieder in den Sinn, und sie sang, während sie den Pinsel schwang:

> »Reich mir die Hand, mein Leben,
> Komm auf mein Schloß mit mich, la-la
> Ich will dir Kuchen geben,
> Denn Se-em-me-el frißte-e nich, la-la . . .«

Auf dem Boden, am Fuße der Leiter, stand das unvermeidliche Telefon. Eine Zahnärztin hatte kein Recht auf ein faules Wochenende – und schon klingelte es. Fluchend stellte sie die Kassette ab und kletterte, den Pinsel in der Hand, hinunter, setzte sich auf die unterste Sprosse.

»Doktor Schlosser . . . Ach, Wilma!« Verdammt. Heute wäre sie wahrhaftig gern ungestört geblieben. Etwas zögernd sagte sie: »Na, du weißt ja, Wochenenden sind heilig . . . Doch, natürlich darfst du kommen . . . Du hörst dich 'n bißchen piano an, ist was passiert?« Sie kratzte sich mit dem Pinselstiel an der Nase. »Hast du Krach gehabt mit Werner? Du weißt ja, ich mische mich nicht ein, auch wenn's mein Sohn ist.«

Sie hörte eine Weile zu, und was sie hörte, gefiel ihr nicht, denn sie kratzte sich wieder, und diesmal heftiger, so daß sie anschließend einen weißen Klecks auf der Nase hatte.

»Na, das ist ja fein«, murmelte sie. »Wer ist die Person? Wo hat er die kennengelernt? . . . Nein, kein Wort. Er hat mir kein Wort davon erzählt, und dabei hab' ich ihn doch gestern gesehen! Ich muß schon sagen, das hätte ich nicht von ihm gedacht.« Sie seufzte. »Man kennt eben auch die eigenen Kinder nicht. Nicht *wirklich*, meine ich . . . Wilma – weinst du? . . . Nein? Das wundert mich. Ich an deiner Stelle hätte bestimmt geweint. Und wie! . . . Ja, ich weiß, die Zeiten haben sich geändert, trotzdem, ihr habt eben nicht genug investiert! . . . Tja, so kann man's auch sehen. Natürlich ist es besser, daß du nicht zusammenbrichst, aber ich meine – ach, laß nur, es ist schließlich *eure* Angelegenheit . . . Und wie verhält sich Werner? . . . Der heult auch nicht? . . . Ja, was soll ich dazu sagen?« Sie dachte einen Augenblick nach und sagte dann grimmig: »Mir fällt nichts ein außer: Na, dann werde ich eben auch nicht weinen.«

Sie hörte eine lange Weile zu, nickte von Zeit zu Zeit resigniert und beschloß dann, es noch einmal zu versuchen: »Wilma, Kind, hast du dir's wirklich gut überlegt? . . . Nein, selbstverständlich kann ich dir's nicht übelnehmen, wenn Werner sich derart benimmt. Er läßt dir ja keine Wahl, da hast du schon recht . . . Also: Komm her, so bald du kannst, vielleicht ist die Schlacht noch nicht verloren. . . . Nein, nein, ich verspreche dir, ich rufe ihn nicht an. Du weißt doch, ich mische mich nicht ein. Aber du kannst jederzeit kommen und die Garage mit anmalen . . . Warum? Weil *ich* die Garage anmale, und ich werde sie weiter anmalen, auch wenn ihr euch scheiden laßt.«

Sie feuerte den Hörer auf die Gabel und saß einen Moment ganz still. Dann sagte sie leise und unglücklich »Scheiße« vor sich hin.

Nach einer Weile kletterte sie wieder auf die Leiter hinauf, stellte den Transistor an, sang automatisch: »Reich mir die Hand, mein Leben« – und stellte ihn wieder ab. Sie konnte jetzt keine Musik hören. Resolut tauchte sie den Pinsel ein und begann wieder zu streichen, aber nicht mehr langsam und genußvoll, sondern wild vor verhaltenem Zorn.

Eine halbe Stunde später stand eine junge Frau, etwa fünfundzwanzigjährig, mit kurzen dunklen Haaren vor dem kleinen Haus und drückte auf die Klingel unter dem Schild: DR. KÄTE SCHLOSSER. ZAHNÄRZTIN. SPRECHSTUNDEN NACH VERABREDUNG.

Käte, hoch oben auf der Leiter, rief, ohne sich umzusehen: »Komm nur rein, Wilma! Hier! Vor der Garage.« Sie hörte Schritte, die sich zögernd näherten, und fügte hinzu: »Komm, komm, ich geb' dir einen Pinsel. Du kannst mir helfen. Sinnvolle Beschäftigung. Wird dir guttun. Möchtest du einen Kaffee?«

Eine Stimme kam von unten: »Ach, das wäre sehr nett von Ihnen.«

Käte hörte auf zu malen und spähte hinunter. »Nanu! Wer sind denn Sie?«

»Ich heiße Gutenberg, Annemarie Gutenberg. Vielleicht hat Ihnen Ihr Sohn erzählt . . .«

Kätes Blick wurde eisig. »Ah so! Nein, er hat mir nichts erzählt. Noch nicht. Aber ich kann's mir denken. Sie sind die, wegen der er . . . Und Sie kommen zu *mir*? Sie kriegen keinen Kaffee.« Sie drehte sich um und strich weiter.

Unten am Boden klammerte sich die junge Frau an die Leiter, blickte flehend nach oben und drückte die Zunge innen gegen die Wange. »Frau Doktor, bitte – ich habe Zahnschmerzen.«

Aber Käte hatte heute keinen Sinn für Humor: »Am Wochenende ist meine Praxis geschlossen. Wenden Sie sich an meine Vertretung, Herrn Doktor Mosheim, drei-drei-acht, neun-neun-zwo – oder gurgeln Sie mit Kamille. Ich male meine Garage an. Auf Wiedersehen.«

»Darf ich Ihnen helfen? Ich kann gut anstreichen. Übrigens – Sie haben einen weißen Klecks auf der Nase.« Und schon kletterte sie mit gezücktem Taschentuch die Leiter hinauf.

»Runter von meiner Leiter!« rief Käte rot vor Empörung. »Was unterstehen Sie sich!«

Annemarie Gutenberg hielt inne, drei Stufen unter ihr. »Es hat keinen Sinn, mich anzuschreien, Frau Doktor, Sie sehen zu komisch aus. Hier!«

Sie hielt ihren Taschenspiegel in die Höhe, und Käte beugte sich unwillkürlich vor, sah sich an und mußte lachen.

»Sehen Sie?«

Das Taschentuch wurde akzeptiert, aber der Klecks war bereits eingetrocknet.

»Haben Sie vielleicht auch Terpentin vorrätig?«

»Nein, aber mit Eau de Cologne geht's auch manchmal ab.«

Ein kleines Fläschchen, höflich hinaufgereicht, wurde ebenfalls angenommen. Und erfolgreich benutzt.

»Danke, Fräulein . . . äh . . . Was wollen Sie eigentlich . . .?«

»Mich vorstellen. Ich bin Ihre neue Schwiegertochter.«

Käte atmete einmal tief ein, bevor sie sagte: »Na, nun mal langsam voran, ja?«

Aber die junge Frau sagte unbeirrt: »Nichts geht heute noch langsam voran. Wir sind schnell.«

»Zu schnell.«

Käte saß ganz oben, die andere stand drei Stufen unter ihr, aber sie *stand*, und so waren beider Köpfe auf gleicher Höhe.

»Man muß sein Glück erkennen – und zugreifen«, sagte die junge Frau.

»Genauso hab' ich's mir vorgestellt. Sie haben zugegriffen.« Auge in Auge. Die junge Frau hatte sehr schöne, sehr blaue Augen, auf die Werner wahrscheinlich hereingefallen war.

»Bei meinem Sohn sind's immer die Weiber, die zugreifen, und er läßt sich einfangen – das ist wie bei der Maus und dem Stück Käse in der Falle.«

»Ich bin also ein Stück Käse.«

»So sieht's aus. Das dritte.«

Das hatte gesessen! Die Person war etwas aus dem Geleise gebracht.

»Das dritte? Wie soll ich das verstehen?«

»Meine Schwiegertochter Wilma ist das zweite Stück Käse. Es gibt auch noch irgendwo ein erstes Stück, Gott sei Dank wieder verheiratet.«

»Das wußte ich nicht«, sagte die junge Frau und starrte einen Augenblick lang an Käte vorbei in den Himmel.

»Er hat vielleicht noch nicht die Zeit gehabt, es Ihnen zu erzählen – es ging eben alles so schön schnell, nicht wahr?« Die Person hatte sich wieder gefaßt und meinte lächelnd: »Es macht aber nichts. Das war eben beide Male die falsche Sorte Käse. Ich bin die richtige für ihn.«

Käte stand auf und türmte sich plötzlich hoch über der jungen Frau auf. »Jetzt hören Sie mir mal gut zu . . . Wie heißen Sie doch gleich?«

»Annemarie Gutenberg.«

»Also, Fräulein Gutenberg . . .«

»Frau Gutenberg.«

»Sie sind verheiratet?«

»Ich *war* es. Schon einige Zeit her. Die falsche Käsesorte.« Käte sagte unwillkürlich: »Mein Gott« und setzte sich wieder hin. »Na schön. Also, Frau Gutenberg . . .«

»Annemarie, bitte.« Mit den strahlenden blauen Augen.

Aber Käte ließ sich nicht so leicht einfangen. »Ich hasse es, wenn man mich unterbricht.«

Ihr Ton gefiel ihr selber nicht, und nun war sie aus dem Konzept gekommen. Wütend sagte sie: »Wo war ich gerade? Ich meine, was wollte ich gerade . . . Ach so, ich weiß schon, also: Frau Gutenberg – da Sie nun mal zu mir gekommen sind, kriegen Sie am besten gleich eins um die Ohren: Mein Sohn *ist* eine Maus. Er ist ein Zögerer, ein Unentschlossener, *Sie* werden für ihn entscheiden müssen, ob er morgens Tee oder Kaffee will . . .«

»Entschuldigung, aber ich *muß* Sie unterbrechen: Ich weiß das alles, Frau Doktor, und es stört mich nicht. Ich bin nämlich eine, die sich gern kümmert. Bei Werner werde ich mich austoben können.«

Käte rief verzweifelt: »Mein Sohn ist noch kein richtiger Mann!«

Die andere ließ eine Sekunde verstreichen, bevor sie lächelnd erwiderte: »Vielleicht werde ich ihn zu einem machen.«

Ein letzter Anlauf gegen diese Mauer: »Ich sage Ihnen als seine Mutter: Tun Sie sich das nicht an! Sie haben schon einmal verloren.«

»Ich sehe meine Ehe nicht als Niederlage an, ich habe viel in ihr gelernt.«

Unten an der Leiter klingelte wieder das Telefon, und diesmal kam es Käte nicht ungelegen. Sie drängte sich entschlossen an der jungen Frau vorbei in die Tiefe und setzte sich wieder auf die unterste Sprosse.

»Doktor Schlosser . . . Wilma! Wo bleibst du denn? Ich warte schon die ganze Zeit auf dich . . .« Sie sah schnell einmal nach oben und begegnete den ruhig lächelnden blauen Augen mit kriegerischem Blick. »Du kommst nicht? Auch nicht später? . . . So. Na schön, wenn das so wichtig ist, dann treffen wir uns eben morgen früh . . . Ja, wie immer, Punkt neun bei den fünf Birken. *Ciao.*«

Sie legte auf und dachte einen Augenblick nach. Dann erhob sie sich und winkte streng und vielsagend nach oben: Runterkommen!

Annemarie Gutenberg kletterte resigniert herunter – und Käte kletterte an ihr vorbei wieder hinauf. Von dort aus – wie vom Olymp – sprach sie gebieterisch: »So. Und nun, Frau Gutenberg, muß ich Sie bitten, mich zu verlassen. *Noch* habe ich eine Schwiegertochter, die Wilma heißt, und meine Loyalität gehört *ihr.* Um so mehr, als es mein Sohn ist, der sie einfach sitzenläßt. Weiter habe ich Ihnen nichts zu sagen. Ich möchte jetzt gern meine Garage weiter anmalen. Adieu.«

Die junge Frau blieb noch einen Augenblick stehen und sah hinauf. Dann sagte sie lächelnd: »Auf Wiedersehen, Frau Doktor.«

Der Morgen war blau und sonnig und der kleine Parkplatz am Waldrand schon beinah voll. Käte hatte ihren Wagen bereits abgestellt. Sie zog sich ihre Jogging-Schuhe an und winkte Wilma zu, die gerade in ihrem Volkswagen ankam. Beide übersahen das Motorrad am äußersten Ende des Parkplatzes, auf dem eine junge Person saß, in Shorts, T-Shirt und Tennisschuhen, um die Taille einen Gürtel mit kleiner Tasche. Sie beobachtete voll Interesse, wie die beiden Frauen drüben sich umarmten. Beide waren in voller Jogging-Ausrüstung, Käte in Dunkelblau, Wilma in Rot, was ihr gut stand mit ihren langen schwarzen Haaren. Käte hatte einen Arm fest um ihre Schulter gelegt, während sie auf sie einsprach. Wilma hatte scheinbar wenig zu antworten, nickte nur immer wieder mit gesenktem Kopf.

Endlich gingen beide Arm in Arm über den Rasen zu den fünf Birken hinüber, hinter denen der Wald begann. Sie wollten gerade loszotteln, als eine Stimme hinter ihnen sagte: »Guten Morgen. Hoffentlich störe ich nicht.«

Käte und Wilma drehten sich erstaunt um. Es dauerte einen Moment, bis Käte die junge Frau erkannte, die unerschrocken und freundlich lächelnd auf sie zuging. So unerschrocken, daß Käte fragte: »Kennt ihr euch?«

»Wer ist das?« fragte Wilma.

»Ich heiße Annemarie Gutenberg. Ich glaube, Werner hat Ihnen erzählt . . .«

Sie hielt inne und lächelte entwaffnend.

»Ach!« sagte Wilma betroffen.

Käte blickte von einer zur anderen, und auch die beiden jungen Frauen betrachteten sich eingehend. Sie waren ungefähr gleich alt und nicht unähnlich im Typ, nur daß Wilmas dunkles Haar bis auf die Schultern fiel.

»Woher wußten Sie, daß wir uns hier . . .«

»Ich hab' Werner gefragt, wo die fünf Birken sind – ach, entschuldigen Sie!« Sie hielt sich die Hand vor den Mund. »Ich hab' Sie unterbrochen.«

Käte musterte sie kalt und nahm dann Wilmas Arm. »Komm! Fangen wir an.«

»Darf ich mitlaufen?«

»Der Wald ist groß«, sagte Käte über die Schulter und zog Wilma mit sich. Sie begannen zu laufen, nicht zu schnell, aber in gutem Rhythmus. Man sah ihnen an, daß sie trainierte Jogger waren. Sie blickten sich nicht ein einziges Mal um, aber beide wußten, daß die andere hinter ihnen war, nicht gerade auf ihren Fersen, auch nicht in Hörweite, aber unmißverständlich hinter ihnen her. Auch als sie vom Hauptweg abbogen und auf einem engeren Pfad weiterliefen.

»Was will die bloß?« schnaufte Wilma in Kätes Ohr.

»Die will mich erobern. Vielleicht glaubt sie, ich sei der Schlüssel zu Werner.«

Sie trabten eine Weile schweigend nebeneinander. Dann sagte Wilma plötzlich: »Da hat sie nicht ganz unrecht.«

»Was sagst du da?« Käte blieb stehen. »Ich mische mich doch nie ein. Schon aus Prinzip.«

Wilma war weitergelaufen, mußte wieder umkehren – während Annemarie beinahe in die plötzlich anhaltende Käte hineinrannte und nur im letzten Moment noch zum Stehen kam.

Käte hatte scheinbar nichts bemerkt, denn was Wilma gerade gesagt hatte, regte sie auf.

»Mische ich mich ein? Ja oder nein? Es ist mir wichtig.«

»Nein, natürlich nicht«, sagte Wilma, hielt es aber für angebracht, weiterzulaufen.

Käte neben ihr: »Na also«. Gleich darauf fügte sie hinzu: »Du atmest heute nicht regelmäßig.«

Aber Wilma hatte eine eigensinnige Falte zwischen den Augenbrauen und mußte unbedingt noch etwas sagen, bevor sie regelmäßig atmen konnte: »Und du bist trotzdem der Schlüssel zu Werner, weil er nichts unternimmt, ohne es dir zu erzählen.«

Käte sagte nichts und atmete regelmäßig, aber zutiefst verstimmt. Lange hielt sie's nicht aus. »So eine Ungerechtigkeit! Und das von dir, Wilma! Er informiert mich, aber er fragt mich nicht. Soll man seiner Mutter etwa nichts erzählen?«

»Das ist eben die Frage«, murmelte Wilma patzig.

Hinter ihnen ertönte eine Stimme: »Und warum soll man seiner Mutter nichts erzählen?«

»Weil eine Mutter auch schweigend billigen oder mißbilligen kann«, rief Wilma wütend über die Schulter.

Das hätte sie nicht tun sollen, denn Annemarie nahm dies als Stichwort, um ungeniert aufzuholen. Sie joggten nun alle drei nebeneinander, und zwar dicht nebeneinander, denn der Pfad war schmal. In der Mitte lief Käte, die im Geist noch

bei der »Ungerechtigkeit« war und daher nicht richtig mitbe-
kam, daß »die andere« auf einmal neben ihr trabte.

»Soll das heißen – durch die Blume natürlich –, daß ich an
eurer Trennung schuld bin?«

»Er hat bei jeder Gelegenheit gesagt: ›Das muß ich Mutter erzählen‹ oder: ›Was wird Mutter bloß dazu sagen.‹«

»Aber das ist doch ganz natürlich«, rief Annemarie von der
anderen Seite her. »*Ich* hätte nichts dagegen, im Gegenteil.
Eine Mutter ist ein Freund. Man kann sie nicht einfach ab-
schreiben, wenn man heiratet.«

Jetzt erst nahm Käte Annemaries Anwesenheit – und noch
dazu ganz dicht an ihrer Schulter – so richtig wahr, und
sie wollte gerade in die Luft gehen, als ihr klar wurde, daß
»der Eindringling« ja zu ihrer Verteidigung angetreten
war. Es verwirrte sie und machte sie – vorübergehend –
sprachlos.

Wilma dagegen litt unter keinerlei zwiespältigen Gefühlen.
Sie schrie: »Gehen Sie weg, ja? Laufen Sie gefälligst woanders!«

Dabei wandte sie Annemarie ihr wutentbranntes Gesicht zu,
sah nicht, daß sie auf eine Wurzel zulief – und fiel der Länge
nach hin.

»Da haben wir den Salat«, rief Käte, während sie sich neben
der Gefallenen niederkniete. Und zu Annemarie: »Machen
Sie, daß Sie wegkommen!«

Sie schlang einen Arm um Wilma und versuchte, ihr beim
Aufstehen zu helfen, was nicht einfach war, denn Wilma war
größer und schwerer.

»Kannst du auftreten?«

»Ich glaube nicht. Au!«

»Sei nicht so pimplich! Los, versuch's noch mal. Hier, stütz
dich auf meine Schulter.«

Sie zerrte und zog mit aller Kraft, bis Wilma endlich auf einem Bein stand, aber als sie das andere auf den Boden setzte, fiel sie wieder hin.

»O Gott! Ich glaube, ich hab' mir den Knöchel gebrochen – oder verknackst oder was.«

Käte kniete sich wieder neben sie und drückte vorsichtig auf das Gelenk. »Tut das weh?«

»Au! Aber wie!«

»Was machen wir jetzt?« fragte Käte ratlos.

Annemarie hatte sich gehorsam entfernt, aber nicht weit. Sie saß unter einem Baum und beobachtete die beiden am Boden. Jetzt stand sie auf und kam näher.

Käte wandte den Kopf und rief wütend: »Ich habe Ihnen doch gesagt . . .«

»Entschuldigung, ich muß Sie schon wieder unterbrechen, aber man sollte nie ohne elastischen Verband in der Tasche joggen gehen, Frau Doktor.« Dies mit sanft strafendem Blick, während sie sich vor Wilma auf den Boden kniete und einen solchen aus ihrer Gürteltasche hervorholte. »Könnten Sie ihr den Schuh ausziehen?«

Käte öffnete den Mund, denn sie fand, sie müsse doch etwas erwidern, aber dann machte sie ihn wieder zu und widmete sich Wilmas Schuh. So hilflos und überflüssig war sie sich schon lange nicht mehr vorgekommen. Es gab nichts für sie zu tun, als sich wieder hinzusetzen und zuzusehen, wie Annemarie den Knöchel schnell und fachkundig bandagierte.

»Zu eng?«

»Nein, so ist es sehr gut, Frau . . . Gutenberg, nicht wahr? Danke!« sagte Wilma mit einigem Widerstreben. Und zu Käte: »Aber hetz mich nicht gleich weiter, ich möchte mich ein paar Minuten ausruhen.«

»Sie haben einen kleinen Schock hinter sich«, sagte Annemarie und setzte sich wie selbstverständlich neben Käte auf die andere Seite, holte ein Fläschchen aus ihrer Gürteltasche und entkorkte es. »Cognac. Nehmen Sie einen Schluck! Gut nach dem Schock.«

Sie reichte es – an Kätes Nase vorbei – Wilma hinüber, merkte, daß dies unmanierlich war, sagte schnell: »Oh, *pardon*« und hielt es ihr hinter Kätes Rücken hin.

Wilma war es gleichgültig, auf welche Weise der Cognac zu ihr kam. »Danke. Den kann ich jetzt gut brauchen«, sagte sie, nahm einen Schluck und gab das Fläschchen knapp an Kätes Nase vorbei wieder zurück.

Käte war nichts entgangen. Es kränkte sie, daß die Manieren ihrer Schwiegertochter zu wünschen übrigließen. Und natürlich auch, daß sie nun alle drei, quasi gleichberechtigt, im Halbkreis am Boden saßen.

»Richtig gemütlich«, knurrte sie. »Erinnert mich an meine Wandervogeljahre.«

»Sei doch nicht so widerborstig, sie ist doch ganz nett«, sagte Wilma und massierte sich vorsichtig den Fuß.

»Nett?« rief Käte aufgebracht. »Sie ist dabei, dir deinen Mann zu stehlen – auf ganz gemeine Weise. Du hast's mir doch selbst erzählt!«

»Ja«, sagte Wilma zögernd und warf kurz einen Blick auf Annemarie, deren Aufmerksamkeit dem Korken galt, mit dem sie gerade wieder das Fläschchen zustöpselte.

»Ja‹?« drängte Käte. »Was heißt ›ja‹?«

Schweigen. Dann murmelte Wilma verlegen: »Es . . . äh . . . es stört mich nicht.«

Käte sah von einer zur anderen, verstand überhaupt nichts mehr – oder doch? »Du meinst, es stört dich nicht, weil sie's nicht schaffen wird, ja? Du glaubst, Werner wird letzten Endes doch wieder zur Vernunft kommen. Hab' ich recht? Ich finde das eigentlich . . . genau richtig. In einer solchen Situation und mit einer solchen . . . unverfrorenen Person« – Annemarie erhielt einen vernichtenden Blick, mitten ins Ge-

sicht – »da braucht man Selbstvertrauen. Aber nimm's nicht
zu leicht. Laß dich nicht von ihr einwickeln!«

Annemarie lachte laut los. »Ich hab' sie schon eingewickelt!
Wenigstens ihren Knöchel.«

Keine von den beiden anderen lachte mit, aber die junge Frau
mit dem kurzgeschnittenen Knabenkopf schien keineswegs
entmutigt. Sie beugte sich vor, damit sie Wilma besser in die
Augen sehen konnte, und sagte mit einem kleinen Lächeln:
»Na, nun sagen Sie's ihr schon. Jetzt ist gerade ein günstiger
Augenblick.«

Käte dachte: Ich sehe schon wieder von einer zur anderen –
wie ein Trottel. Laut sagte sie: »Was soll das heißen?«

Wilma beugte sich über ihren Fuß. »Jetzt schwillt er an. Sieh
mal!«

Aber Käte ließ sich nicht ablenken. »Ein günstiger Augenblick – wofür?«

Stille. Wilmas lange Haare verdeckten ihr Gesicht, und Käte
blieb nichts anderes übrig, als sich an Annemarie zu wenden:
»Ein günstiger Augenblick? Was meinen Sie damit?«

Die entkorkte abermals das Fläschchen, hielt es hinter Kätes
Rücken Wilma hin. »Mut zeigt auch der lahme Muck«, sagte
sie aufmunternd. »Nun los, lahmer Muck, nehmen Sie noch
einen kräftigen Schluck – und dann sagen Sie's ihr.«

Wilma gab auf. Sie tat, wie ihr geheißen, und sagte dann zögernd: »Also, es ist mir recht . . . ich meine, es ist mir recht,
wenn Werner die Scheidung einreicht.«

Käte starrte sie an. »Was heißt ›Es ist mir recht‹?« fragte sie ruhig. Aber in ihrer Stimme schwang ein Ton mit, der es Wilma
nahelegte, sich wieder mit ihrem Fuß zu beschäftigen.

»Wie soll ich bloß wieder in den Schuh hineinkommen? Ich
bin ziemlich sicher, der Knöchel ist gebrochen.«

»Ich sage Ihnen ja: Es ist ein günstiger Augenblick. Ihre
Schwiegermutter kann Sie jetzt kaum verhauen.«

Käte sagte: »Wenn ich's jetzt nicht bald zu hören kriege, verhaue ich euch alle beide.«

Noch ein »Au!«, aber dann, nach einem Blick in Kätes Gesicht, begann Wilma endlich: »Also . . .« Und stockte schon wieder.

»Also, liebe Schwiegermama . . .« soufflierte Annemarie.

»Sie nennt mich Käte.«

»Also dann«, sagte Annemarie ungerührt, »liebe Käte . . .«

Wilma seufzte und machte ein Gesicht wie das Leiden Christi. »Also, liebe Käte . . .« Und blieb doch wieder hängen.

Die Souffleuse half aus: »Liebe Käte, ich habe mich in einen anderen Mann verliebt.«

Alles, was Wilma hinzufügen konnte, war ein schwaches »Sozusagen«.

»Und ich möchte ihn gerne heiraten«, fuhr Annemarie unerbittlich fort.

»Unter Umständen . . .« gab Wilma zu bedenken.

»Weil er nämlich eine Menge Geld hat«, sekundierte Annemarie.

»Nein!« empörte sich Wilma. »Nicht deswegen! Au!«

»Es ist ja ganz egal, weswegen«, sagte Käte langsam. »Also *so* ist das! *Du* willst Werner verlassen?«

»Das will sie.« Annemarie nickte.

»Ich habe Sie nicht gefragt«, knurrte Käte. »Was sind Sie eigentlich hier? Krankenschwester, Bardame – und Unterhändler?«

»Ihre Schwiegertochter hat seit einiger Zeit eine . . . Beziehung zu einem gutsituierten Herrn.« Sachlich und freundlich.

Käte wandte ihr den Rücken zu und versuchte, Wilma in die Augen zu sehen. »Ist das wahr?«

Umsonst. Sie mußte sich mit einem Vorhang von langen schwarzen Haaren und einem gestöhnten »Au!« begnügen.

Langsam wandte sie sich wieder um und suchte die Augen der anderen, versagte sich auch nicht mehr, diese Augen wunderschön zu finden, besonders jetzt, da sie sie – zum erstenmal – so ruhig und ernst ansahen.

»Und . . . mein Sohn weiß das?«

»Er erzählte es mir, als wir uns kennenlernten.«

Nach einer Pause meinte Käte mit einem schwachen, resignierten Lächeln: »Ich bin *doch* nicht so gut informiert, wie Sie sehen. Er hat mir nichts erzählt, nichts von . . .« – sie machte, ohne sich umzudrehen, eine kurze, heftige Kopfbewegung zu Wilma hin – » . . . von ihrem gutsituierten Herrn. Und auch nichts von Ihnen, Annemarie.« Sie sprach den Namen langsam aus, und die blauen Augen strahlten sie an. »Vielleicht ist das ein gutes Zeichen, ich meine, was Werner angeht. Vielleicht bedeutet es, daß er keine Maus mehr ist. Ich werde mich sicher freuen, wenn ich erst mal über den Schock hinweggekommen bin . . .«

»Schock?« rief Annemarie. »Hier.« Sie hielt ihr das Fläschchen hin, und Käte nahm einen kräftigen Schluck. Dann schaute sie sich um und betrachtete einen Augenblick lang den stillen Pfad und den Wald.

»Haben Sie auch als Kind ›Bäumchen, wechsle dich‹ gespielt? So kommt's mir jetzt vor: ›Schwiegertöchterlein, wechsle dich‹. Wer weiß, vielleicht ist es ein guter Tausch.«

Wilma sagte verbissen: »Wenn ich könnte, würde ich jetzt abhauen. Aber *pronto*.«

»Na, denn man los«, rief Annemarie und sprang auf die Füße. »Schaffen Sie's bis zu Ihrem Wagen? Wir sind ja noch nicht weit gelaufen. Ich stütze Sie, ich bin kräftig genug, und Ihre Schwiegermama . . . ich meine, Ihre Käte . . . ich meine *unsere* Käte . . . wird Sie von der anderen Seite stützen.«

»Das wird sie nicht«, sagte Käte mit fester Stimme.

»Sie wollen Ihre Schwiegertochter nicht stützen?«

»Ich will meine *frühere* Schwiegertochter nicht stützen. In keiner Weise.«

»*Okay*, ich schaffe das auch allein«, sagte Annemarie lächelnd. »Wenn nötig, huckepack.«

Käte lächelte zurück und nickte. »Sie schaffen das. Sie schaffen alles, was Sie sich vornehmen. Ich glaube wahrhaftig, Werner hat Glück mit seinem neuen Stück Käse.«

»Käse? Wieso?« fragte Wilma verständnislos.

»Moment noch . . .« Annemarie knüpfte Wilmas Jogging-Schuhe zusammen, hängte sie ihr um den Hals. »So. Jetzt halten Sie sich an mir fest, dann wird's schon gehen.« Sie umfaßte Wilmas Taille mit einem Arm und hob sie hoch. »Wollen Sie sich jetzt von Ihrer Schwieger. . . wollen Sie sich jetzt verabschieden?«

Käte war sitzen geblieben und hatte unbewegten Gesichts zugesehen. Sie blieb unbewegt, auch als ihr Wilma jetzt eine Hand hinstreckte.

»Käte! Bitte, versteh doch! Ich wollte es dir auf nette Weise . . . aber nicht ausgerechnet heute . . .«

»Beibringen. Ich verstehe.«

»Sehen Sie, es war doch kein günstiger Augenblick«, wandte sich Wilma verzagt an Annemarie.

»Los jetzt.«

Wilma wurde abgeschleppt.

»Käte . . .« tönte es noch einmal klagend aus einiger Entfernung durch den Wald. »Auf Wiedersehen . . .«

»Adieu«, murmelte die vor sich hin und verfolgte mit den Augen, wie die frühere Schwiegertochter von der amtierenden abtransportiert wurde, bis auch das letzte Stückchen Rot zwischen den Bäumen verschwand und das letzte »Au!« in der Ferne verhallte. Käte lauschte und meinte zu fühlen, wie die Waldesstille auf sie herabsank.

Sie blieb sitzen, lehnte sich mit dem Rücken gegen einen

Baumstamm und verschränkte die Arme hinter dem Kopf, dachte: Was für ein seltsamer Morgen. Und schloß die Augen.

»Was ist denn mit dir?« schreckte sie eine Stimme aus ihren Gedanken. »Bist du tot? Oder nur müde?« Ein Junge im Kinder-Jogging-Anzug, etwa sieben Jahre alt, stand vor ihr und betrachtete sie kritisch.

»Müde? Niemals. Und du? Was schnaufst du denn so? Bist *du* etwa müde?«

»I wo. Ich schnauf' nur zum Spaß.«

»Wie heißt du denn?«

»Erich.«

»Na, dann komm, Erich.«

Sie stand auf und nahm seine Hand. Gemeinsam gingen sie den Weg zu ihrem Auto zurück, und nach einer Weile fing sie an zu singen:

>»Reich mir die Hand, mein Leben,
>Komm auf mein Schloß mit mich . . .«

»Mit *mir*«, unterbrach sie der Bub streng, aber sie ließ sich nicht stören.

>»Ich muß dich etwas heben,
>Du rei-eichst ni-ich rauf zu-u mich . . .«

»Zu *mir*«, rief der Kleine kopfschüttelnd und zog seine Hand zurück. »Weißt du das nicht? Du bist doch schon so alt!«

»Stimmt. Ich hab' aber noch viel zu lernen«, sagte Käte, griff nach seiner Hand und schritt laut singend durch den Wald.

Adresse und Telefonnummer

Es muß einem am eigenen Leib widerfahren, ehe man begreift, was es heißt, wenn ein Familienmitglied plötzlich verschwindet und man jahrelang nicht weiß, ob es überhaupt noch am Leben ist.

Uns ging es so, uns kam jemand abhanden, der zur engsten Familie gehörte. Langsam, verzweifelt langsam mußte man sich daran gewöhnen und versuchen, nachts zu schlafen, anstatt wach dazuliegen und den Alpträumen der Phantasie ausgeliefert zu sein.

Allmählich schafft man es und nimmt sein normales Leben wieder auf.

Aber was geschieht, wenn ein Verschwundener wiederkommt?

In den Ausstellungsräumen drängten sich die Besucher Kopf an Kopf. Man soll nie zur Vernissage gehen, dachte Karin Ohnesorg und blieb am Eingang stehen. Ich kaufe mir einen Katalog und komme morgen früh, wenn's leer ist, wieder.

Das 15. Jahrhundert und seine Malerei waren immer ihre Leidenschaft gewesen, sie konnte sich nicht satt sehen an dem künstlich drapierten Faltenwurf der Gewänder und an den entrückten Puppengesichtern der Madonnen. Zu Hause würde sie ankreuzen, welche Bilder sie sich ansehen wollte; nur ein paar, aber diese dann auch gründlich.

In ihrer Küche machte sie sich einen Eiskaffee (es war drückend heiß an diesem Julitag) und trug das Tablett ins Wohnzimmer, versank in ihren Sessel, zog die Schuhe aus, legte die Beine auf den Hocker – und jetzt der Katalog. Zwanzig Mark! Aber es lohnte sich. Sie blätterte langsam, trank den Eiskaffee Schluck für Schluck, hatte – beinah – das Gefühl vollkommenen Wohlbehagens.

Die Bilder waren alle mit ihren Rahmen reproduziert, denn die allein waren bereits einen Besuch der Ausstellung wert. Manche verschmolzen mit den Gemälden, andere dienten als Guckloch, wieder andere waren ganz unverblümt modern. Eigentlich auch ganz schön, dachte sie, diese Rahmen wollten die antiken nicht imitieren, versuchten auch keinen schüchternen Kompromiß. Sie waren eher frech, aus massivem Holz, tief geschnitzt und in sehr gewagten Tönen bemalt.

Etwas, das an ihrem Bewußtsein zupfte wie an der Saite einer Harfe, schreckte sie aus ihrer Versunkenheit auf. Aber was war das eben gewesen? Sie sah sich noch einmal das Altarbild mit dem modernen Rahmen an. Unter dem Bild standen der Name des Malers, seine Geburts- und Todesdaten – und darunter: GERAHMT VON E. OHNESORG.

Sie setzte die Tasse ab, denn ihre Hand begann heftig zu zittern. E. Ohnesorg.

»Mein Gott«, murmelte sie, lehnte sich kraftlos im Sessel zurück und flüsterte immer wieder vor sich hin: »Mein Gott . . . mein Gott . . .« Und schließlich: »Komm, nimm dich zusammen!« Es kam jetzt häufig vor, daß sie laut mit sich sprach.

Sie ging zum Schreibtisch, den Katalog in der Hand, und suchte nach der Telefonnummer. Wählte. Wartete. Ob die Galerie schon geschlossen hatte? Der Gedanke, vielleicht bis morgen warten zu müssen . . .

Und dann antwortete doch eine ungnädige Frauenstimme: »Hallo, Galerie Wildenberg.« Im Hintergrund Stimmen und Gelächter.

»Entschuldigen Sie, würden Sie mir sagen, wo ich Fräulein Ohnesorg erreichen kann?«

»Wen?«

»Fräulein Ohnesorg, Elisabeth Ohnesorg. Sie hat die Rahmen für Ihre Gemälde gemacht. Kennen Sie ihre Adresse?«

»Moment.«

Karin wartete. Sie zitterte am ganzen Körper, und die Stimmen und das Lachen und das Rufen, das in ihrem Ohr dröhnte, verstärkten noch ihre Aufregung, kamen ihr grotesk, gespenstisch vor.

Nach einer langen Weile kam die Stimme wieder, noch ungnädiger: »Sind Sie noch da? Wir haben keine Adresse von Fräulein Ohnesorg. Wir sind sehr beschäftigt heute, Entschuldigung, auf Wiedersehen.« Aufgehängt.

Karin sah auf die Uhr: Viertel vor sieben. Sie riß ein Blatt ihres Schreibpapiers aus der Schublade und schrieb:

BETHCHEN, BITTE RUF MICH AN. HIER IST MEINE NEUE TELEFONNUMMER. ES VERPFLICHTET DICH ZU NICHTS, M.

Sie lief aus dem Haus und fand ein Taxi, kam in der Galerie an, als die letzten Besucher hinausströmten. Sie kämpfte sich durch die Entgegenkommenden, bis sie von einem großen Herrn mit weißem Bart aufgehalten wurde.

»Bedauere, gnädige Frau, wir schließen gerade. Morgen um zehn Uhr . . .«

»Herr Wildenberg? Bitte! Nur eine Minute . . . Es handelt sich um etwas anderes . . . Hätten Sie wohl eine einzige Minute Zeit?«

Er zögerte; hinter ihm standen ein halbes Dutzend Leute, mit denen er verhandeln mußte, aber die Frau sah aus, als gehe es um Leben und Tod. »*Okay*, eine Minute, aber nicht länger, bitte.«

»Nein, nein!« Sie hielt ihm ihren aufgeschlagenen Katalog hin und deutete mit zitterndem Zeigefinger auf die Schrift unter einem Gemälde: »Elisabeth Ohnesorg. Ich muß ganz dringend wissen, wo ich sie erreichen kann.«

Er schüttelte den Kopf. »Ich weiß es nicht. Ich weiß nur, daß sie aus München kam vor ein paar Monaten. Sie hat pünktlich geliefert, aber sie hat uns nie eine feste Adresse gegeben. Sie kommt manchmal vorbei, gestern war sie zum Beispiel hier, wollte sehen, wie ihre Bilder hängen. Sie sagte so was wie: ›Ich komme noch mal vorbei, wenn der Ansturm vorüber ist.‹«

Karin holte das Kuvert aus ihrer Tasche: »Würden Sie ihr das

geben, wenn sie kommt? Bitte! Es . . . es hängt so viel davon
ab.«

Vier Tage lang, vier lange Tage. Wenn sie später an diese Zeit
zurückdachte, kam es ihr vor, als hätte sie ihren Sessel neben
dem Telefon nie verlassen, auch nachts nicht. Das Fernsehen
lief Stunde um Stunde, aber sie sah und hörte es nicht, sie sah
nur das Telefon, hörte nur die grausame Stille. Freunde riefen
an, und das waren die schlimmsten Sekunden, denn es wurde
ihr jedesmal schlecht vor Aufregung, wenn das Telefon läute-
te – und dann der Schlag, weil eine andere Stimme sprach.
Am fünften Tag, morgens nach zehn Uhr, läutete es wieder,
und sie hörte Elisabeths Stimme zum erstenmal nach sechs
Jahren.
»Hallo, Mutter?«
»Bethchen!«
»Was willst du von mir?«
»Nichts.«
»Warum hast du dann geschrieben?«
»Ich würde dich gern sehen.«
»Also willst du doch etwas.«
»Nur . . . dich sehen. Es verpflichtet zu nichts.«
»Warum? Gibt es einen besonderen Grund?«
»Nein.«
»Bist du krank?«
»Nein.«
Schweigen. Dann, eine Spur weniger feindlich: »Wie stellst
du dir das vor? Ich komme nicht zu dir.«
»Sag, wo du mich treffen willst.«
»Also, wenn dir so viel daran liegt . . .« Ein Augenblick des
Zögerns, und dann mit einem halb unterdrückten, unguten
Lachen: »Komm morgen um ein Uhr zum Bootshaus am
Klein-See.«

»Zum Bootshaus! Das gibt's noch?« Sie hielt es nicht mehr aus und rief: »Ach Bethchen, ich freu' mich so . . .«

»Also dann, Mutter, bis morgen.«

Es war kein sonniger Tag, aber wenigstens regnete es nicht. Karin stand schon lange vor ein Uhr am Bootshaus. Beinahe hätte sie es nicht erkannt, denn jetzt war es der Anbau eines kleinen Restaurants, mit Parkplatz. Das ganze Anwesen umgab ein Blumengarten von ungewöhnlicher Schönheit. Auch die Blumenkästen vor den Fenstern waren voll ausgesuchter Blüten.

Früher waren sie im Sommer manchmal zu dritt hier gewesen, Gustav hatte ein Ruderboot gemietet, und sie hatten den halben Tag auf dem Wasser verbracht. Er ruderte gern. Im Boot war er immer guter Laune gewesen, hatte auch an Elisabeth nichts auszusetzen gehabt. Sie sah sie noch sitzen, zehn, elf Jahre alt, die Augen halb geschlossen, eine Hand im Wasser, die Sonne auf den langen, weißblonden Haaren, so ein schönes Kind . . . Wenn sie an anderen Booten vorbeikamen, hatten sich die Leute manchmal umgedreht.

Wie sah sie wohl jetzt aus? War das nicht entsetzlich, daß man nicht einmal wußte, wie das einzige Kind aussah? Gestörtes Verhältnis der Generationen zueinander, ja, ja, zwei Weltkriege innerhalb von dreißig Jahren, was kann man da anderes erwarten? O doch, man *kann*. Es gibt auch Familien, die wie in früheren Zeiten zusammenhalten, durch dick und dünn . . .

Allerdings: Nach einer solchen Katastrophe wie damals bei uns, da wäre wohl auch bei anderen alles kaputtgegangen, auseinandergefallen.

Weit hinten am Uferpfad sah sie eine Gestalt auf einem Fahrrad.

Noch war sie eine gute Strecke entfernt: gut, ja, das war das richtige Wort, denn sie war dankbar für jeden Meter. So konnte sie etwas von dem wilden Aufruhr bezähmen, durfte sich ganz allmählich an den Anblick gewöhnen, damit sie sie dann – hoffentlich! – nicht fassungslos anstarren würde.

Sie hatte vergessen, wie groß ihre Tochter war – oder kam ihr das nur so vor, weil sie so dünn und gerade auf dem Rad saß? Jedenfalls waren die langen blonden Haare verschwunden, nachgedunkelt und ganz kurz geschnitten. Das Gesicht und die nackten Arme waren braungebrannt und etwas knochig, aber sonst sah sie ganz gesund aus. Und warum auch nicht? Hatte sie erwartet, daß Elisabeth elend aussehen würde? Offen gestanden, ja.

Elisabeth Ohnesorg sprang vom Rad und schob es in Richtung ihrer Mutter. Sie hielt die Lenkstange wie eine Barriere zwischen sich und ihr Gegenüber.

»Guten Tag, Mutter.«

»Guten Tag, Bethchen.« Ganz ruhig.

Elisabeth sah sie einen Augenblick prüfend an und verzog das Gesicht ein wenig, vielleicht sollte es ein Lächeln werden.

»Warte einen Augenblick auf mich, bin gleich wieder da.«

Sie verschwand durch die Eingangstür des Restaurants.

Karin blickte auf den See. Wie groß die Bäume am Ufer geworden waren! Wann hatte sie sie zum letztenmal gesehen? Vielleicht vor zehn, fünfzehn Jahren. Bethchen sah älter aus, nicht wie fünfundzwanzig. Sie war immer noch schön, aber irgendwie dürr im Ausdruck, der Mund war streng und fest zusammengepreßt. Und die Augen . . . unzugänglich. Da hatte sich nichts geändert.

Die Tür ging auf, und Elisabeth kam wieder heraus. Hinter ihr, eine Plastiktüte in der Hand, stand ein großer, schöner schwarzer Mann. Er hatte nur ein Auge, das andere war künstlich, und man sah sofort, es gehörte nicht in sein Gesicht.

Karin starrte ihn mit offenem Mund an.

»Guten Tag, Frau Ohnesorg«, sagte er lächelnd und legte die Hand grüßend an die Stirn. Dann ging er zum Bootshaus. Elisabeth folgte ihm.

»Welches Boot, Mac? Wir sind ungefähr in einer halben Stunde wieder zurück.«

»Das erste, hier vorn.« Er wandte sich zu Karin um, die immer noch regungslos dastand.

Ich muß mich jetzt umdrehen, dachte sie verzweifelt, noch ist es Zeit! Umdrehen und nach Hause gehen.

»Darf ich Ihnen beim Einsteigen behilflich sein?«

Er streckte ihr seine braune Hand entgegen – und sie nahm sie und ließ sich ins Boot helfen. Elisabeth saß bereits auf der Ruderbank.

»Die Brote!« rief er plötzlich hinter dem Boot her, das sich schon ein paar Meter entfernt hatte. Er warf ihnen die Plastiktüte in hohem Bogen nach.

Karin fing sie auf und sagte automatisch: »Vielen Dank.«

Elisabeth ruderte mit kräftigen Schlägen, bis sie die Mitte des Sees erreicht hatte. Dann ließ sie die Ruder sinken und packte die Tüte aus.

Bis jetzt hatten sie nicht gesprochen, hatten auch vermieden, sich anzusehen.

»Mac hat Brote für zwei zurechtgemacht. Hier sind deine.«

»Ich . . . hatte keine Ahnung, daß er noch hier ist . . . ich meine in der Stadt.«

»Warum sollte er nicht?«

»Natürlich . . . ich wußte es nur nicht.« Gelassen bleiben, dachte sie, sonst rudert sie sofort wieder zum Steg zurück. Frag sie ruhig, aber so wie eine entfernte Verwandte. Laut sagte sie mit einem schwachen Versuch zu lächeln: »Jetzt weiß ich auch, warum da so schöne Blumen um das Restaurant herum blühen.« Elisabeth nickte und hob das Gesicht der

Sonne entgegen, die endlich durch die Wolken brach. »Arbeitet er jetzt dort als Gärtner?«

»Das Restaurant gehört ihm.«

So ging es nicht. Die Zeit reichte nicht, um sich langsam zueinander zu tasten, sie hatten doch nur diese armselige halbe Stunde!

»Du bist mit ihm in Verbindung geblieben, die ganzen Jahre über?«

»Mehr oder weniger. Jedenfalls wußte ich immer, wo ich ihn finden konnte.« Sie entfaltete das Silberpapier und betrachtete das Sandwich, aber sie aß es nicht. »Wie war das eigentlich damals . . . Vater war ja wohl . . . na, sagen wir nicht ganz zurechnungsfähig, so nanntest du's doch, wenn ich mich recht erinnere, und du . . . du warst sprachlos, warst ja schon seit langer Zeit sprachlos, nicht wahr?«

»Sprachlos? Ja, wahrscheinlich war ich das. Ich hatte keine Wahl.«

Elisabeth lachte kurz auf. »O doch, man hat immer eine Wahl. Und du wähltest *ihn*. Was ich wissen will, ist: Wäre er auch so explodiert, wenn er entdeckt hätte, daß ich ein Verhältnis mit einem *weißen* Mann hatte? Oder war's, weil Mac unser Gärtner war?«

Nach einer langen Pause, während der sie den Blick von der Tochter wendete und auf den See hinaus schaute, sagte Karin: »Du hast mich ja wohl mit Absicht hierher bestellt, du willst also darüber sprechen. Und das ist gut. Auch für mich – jetzt, nachdem ich mich von dem ersten Schock erholt habe. Entschuldige, aber es *war* ein Schock, ihn wiederzusehen. Als ich ihn zum letztenmal sah, da stand er im Garten, und dein Vater schlug mit dem Stock auf ihn ein. Ich stürzte mich auf deinen Vater und hielt seinen Arm fest, aber da war's ja schon geschehen, da lag Mac blutend im Gras . . . Dein Vater kniete neben ihm und stöhnte . . . dann kam die Ambulanz . . . Ich wollte mit Mac ins Krankenhaus fahren . . .«

»Wolltest du das?«

»Was denn sonst? Aber dein Vater saß noch immer da und stöhnte, und da wußte ich, daß er einen Anfall hatte, und lief ins Haus, um das Zeug zu holen . . . und als ich wiederkam, war die Ambulanz schon weg.«

»Also so war das.«

»Ja, so war das. Und dann, dann mußte ich warten und *dich* vor der Haustür abfangen, und du bist dann gleich ins Krankenhaus, ohne deine Sachen zu packen, einfach weg, auf Nimmerwiedersehen. Aber ich hab' wenigstens verhindern können, daß dein Vater dich noch sah. Oder, wenn du willst, du deinen Vater.«

»Immerhin etwas«, sagte Elisabeth.

Karins Blick wurde hart. »Du hast deinen Vater so wenig gekannt wie er dich, ihr habt einfach nicht dieselbe Sprache gesprochen, und ich hab' versagt als Dolmetscherin. Meine erste Sorge galt stets *ihm*, er hatte Angina pectoris, und es war meine Pflicht, ihm Aufregungen zu ersparen.«

»Warum hast du mir das nie gesagt? Ich weiß nicht, ob ich meine . . . Lebensweise wesentlich verändert hätte . . . vielleicht hätte ich weniger Krach gemacht . . . aber trotzdem: Warum wußte ich nichts davon?«

»Er hatte es verboten. Er wollte keine Zugeständnisse wegen seiner Krankheit. Übrigens – er ist tot.«

»Ich weiß.«

Karin sah Elisabeth mit großen Augen an. »Du weißt es?«

»Ich hab's erst viel später gehört«, antwortete Elisabeth mit einer Spur von Verlegenheit, griff zerstreut nach den Rudern, ließ sie aber wieder sinken. »Und da lag es schon so lange zurück, mindestens zwei Jahre. Es wäre doch albern gewesen, plötzlich einen Beileidsbrief zu schreiben.«

»Einen Beileidsbrief? Ja. Das wäre albern gewesen.«

»Woran ist er gestorben?«

»Interessiert es dich?«

»Nicht wirklich. Ich hab' nur dir zuliebe gefragt.«

»Nicht nötig.«

Nach einer Pause sagte Elisabeth: »War es schlimm für dich? Jetzt frage ich nicht dir zuliebe, sondern weil ich's wissen will.«

»Es war gut für *ihn*. Nach diesem Tag lebte er nicht mehr gern.«

»Meinetwegen? Weil ich abgehauen bin? Sag mir nur nicht, daß ich ihm fehlte.«

»Er hatte schon vorher einmal einen Herzinfarkt.«

Die Tochter sagte halb trotzig, halb herausfordernd: »Na ja, aber schließlich . . . deswegen konnte ich ja nicht ewig zu Hause hocken, oder? Ich hab' ihn nie gemocht – und du auch nicht. Warum hast du dich eigentlich immer gegen mich gestellt?«

»Als du sechzehn Jahre alt warst, verlangtest du schon Geld für die Pille – als dein gutes Recht! –, brachtest alle paar Wochen einen anderen Jungen ins Haus . . .«

»Na und?« rief Elisabeth kampflustig.

»Daß der eine, der mit dem Schnurrbart und den O-Beinen – Albrecht hieß er, nicht wahr? –, daß der zum Beispiel die schöne Uhr in der Diele mitgehen ließ, das sollte ich alles einfach hinnehmen?«

»Albrecht hatte keine O-Beine.«

Karin mußte beinah lächeln. »Na schön. Er hatte keine O-Beine. Bist du mit *ihm* davongegangen?«

»Der hatte nicht mal Geld für die Straßenbahn. Deshalb hat er die Uhr geklaut. Und ich ließ ihn. Er hatte Hunger. Noch was?«

Karin zeigte auf das unberührte Sandwich auf der Bank. »Du hast scheinbar keinen.«

»*Dein* Appetit ist auch nicht berühmt«, sagte Elisabeth. Karin hatte ihr Brot noch nicht einmal ausgepackt.

»Bei mir ist das was anderes. Ich bin alt, ich muß nicht mehr soviel essen. Hast du überhaupt genug zu essen?«

Die Tochter schrie wütend: »Ich bin ein erwachsener Mensch von fünfundzwanzig Jahren, ich lasse mich nicht bemuttern, ein für allemal!«

»Ja«, sagte Karin. »Das war ein Fehler von mir. Entschuldige!«

Ein Pfiff hallte über das Wasser. Elisabeth wandte den Kopf und blickte zum Bootshaus. Mac stand am Landesteg und winkte. Sie winkte zurück.

»Alles hat auch seine guten Seiten«, meinte sie befriedigt. »Mac sagt, er sei Vater fast dankbar, denn er hat ja noch ein Auge, und vom Schmerzensgeld hat er sich das Restaurant hier bauen können. Es geht ihm gut. Er ist zufrieden mit seinem Leben.«

»Und du? Geht's *dir* gut? Bist du zufrieden mit deinem Leben?«

Elisabeth griff nach den Rudern und tauchte sie kräftig ein. »Ich weiß nicht, was ich dazu sagen soll.«

Karin nickte, quittierte die Abfuhr. »Seltsam, daß wir uns hier gegenübersitzen ... auf diesem See ... nach sechs Jahren.«

»Ist es schon so lange?«

»Kommt's dir kürzer vor?«

»Ja. Mir ist so viel passiert in diesen Jahren.«

»Erzähl mir – wenigstens etwas. Hab keine Angst, ich halte dich nicht fest. Du kannst nachher gehen, genauso wie du gekommen bist.«

»Ohne Angabe von Adresse und Telefonnummer?«

»Ohne.«

»Gut.« Elisabeth schloß die Augen und genoß die Sonne. »Übrigens, ich habe gar kein eigenes Telefon. Nein, nein, keine Angst, ich wohne in keiner Kommune, aber ich habe hier noch keine passende Wohnung gefunden, lebe vorläufig bei Freunden. Außerdem wüßte ich gar nicht, wen ich anrufen sollte.«

»Mich.«

»Das hätte ich vielleicht auch getan.«

»Vielleicht?«

»Ich war mir über das Risiko klar, als ich hier ankam.«

»Ja, in derselben Stadt wie die Mutter zu leben, dazu gehört Mut.« Karin lachte, wenn auch nicht sehr fröhlich. »Du bist der Rahmen wegen hergekommen?«

Elisabeth zögerte einen Augenblick. »Ja. Sozusagen. Das ist ja mein Beruf: Rahmenmacher.«

»Aber das ist doch was Schönes! Warum versteckst du dich dann?«

»Ach, du meinst, ich hätte mich gleich melden sollen, weil ich eine respektable Tätigkeit ausübe?«

»Ich könnte mir vorstellen, daß du dich *nicht* melden würdest, wenn du . . . wenn du . . .«

»Wenn ich ein Punk wäre oder in der Drogenszene oder so was.«

Karin ließ sich nicht beirren. »Ja, natürlich. Die haben ja alle ein gestörtes Verhältnis zu ihren Eltern und sind froh, wenn sie sie los sind.«

»Und die Eltern? Sind die nicht auch ganz froh? Du zum Beispiel, warst du nie froh, mich los zu sein?«

Wir *reden* miteinander, dachte Karin, ich glaube wahrhaftig, es ist das erste Mal. »Damals, als du davonliefst – ja, da war ich froh. Es ging ja schon lange *vor* diesem furchtbaren Tag nicht mehr mit dir und deinem Vater. Ich war doch schon jahrelang Pufferstaat zwischen dir und ihm. Als du dann volljährig warst und ich täglich zittern mußte, daß er eines Tages aufwachen und dir auf die Spur kommen würde, dir

und deiner ganzen Clique, da wurde ich langsam mürbe. Ich
war froh, dich los zu sein. Ja.«
Elisabeth ließ die Ruder wieder sinken und grübelte. Endlich
sagte sie: »Warst du auch gegen Mac, damals?«
»Nicht mehr als gegen die anderen. Daß er schwarz ist, stört
mich nicht. Auch nicht, daß er Gärtner ist – *war*. Mich wundert es nur . . . eure Beziehung, meine ich. Worüber habt ihr
euch denn unterhalten? Er konnte doch weder lesen noch
schreiben?«
»Darüber. Daß er weder lesen noch schreiben konnte. Das ist
ein endloses Gesprächsthema, glaube mir. Jetzt kann er's übrigens.« Sie schwieg, und Karin kam sich ahnungslos vor und
auch beschämt. »Als er aus dem Krankenhaus kam, haben wir
eine Zeitlang zusammengelebt. Ich arbeitete in einem Kin-
dergarten, langweilig, aber anständig bezahlt, und er gärt-
nerte tagsüber und ging in Abendkurse. Eigentlich war das,
was du unsere Beziehung nennst, bald vorüber, aber ich wartete noch, bis er fertig war mit seinen Kursen. Dann bin ich
abgehauen. Erinnerst du dich an Karl-Heinz? So ein Dünner
mit krausen Haaren?«
Karin lächelte. »Dünn waren sie alle, soweit ich mich entsin-
ne.«
»Der lief mir wieder über den Weg. Mit dem bin ich dann
nach Nairobi gegangen. Er hatte zufällig zwei Flugtickets von
so einer Sekte. Wir sollten da mitmachen und die Eingebore-
nen bekehren, ich weiß nicht mehr, zu was. Was es auch war,
die dort wollten nicht, und nach einer Weile merkten wir,
daß sie ganz recht hatten – bei dem Klima! Karl-Heinz ist
dann wieder nach Deutschland zurückgegangen, aber ich bin
insgesamt zwei Jahre in Afrika geblieben, mir hat's dort gefallen. Ich arbeitete in einer Werkstatt in Nairobi, schnitzte
Holzstatuen nach alten Vorlagen. Es war eigentlich sehr
schön dort.«

»Das kann ich mir denken.«

»Ich zeig' dir mal die Fotos, die ich damals gemacht habe.«

»Du zeigst mir die Fotos?«

Elisabeth zögerte, dachte, ich bin zu weit gegangen. »Ja . . . vielleicht. Nimm nicht alles so wörtlich.«

Karin senkte die Augen.

Elisabeth griff nach den Rudern; das Boot war weit vom Ufer abgetrieben. Sie warf einen kurzen Blick auf das halb abgewandte Gesicht der Mutter und erriet, was die dachte: In ein paar Minuten ist alles vorbei . . .

Langsam ruderte sie zum Steg zurück und nahm ihren Bericht wieder auf: »Schließlich bin ich zurückgekommen, lebte eine Zeitlang in München, und da lernte ich Rahmen schnitzen.«

»Wie bist du nur darauf gekommen?«

»Rate mal.« Elisabeth lächelte.

Wenn sie's doch nur öfter täte, dachte Karin, es steht ihr so gut. »Ach so. Weil der Mann, mit dem du zusammenlebtest, Rahmenmacher war.«

»Na siehst du, du lernst ja.« Ernst, ohne Spott.

»Und jetzt hast du dich von ihm getrennt?«

»Erraten.«

»Aber warum bist du ausgerechnet hierher gekommen?«

»Ein Inserat. ›Rahmenmacher gesucht für antike Gemälde.‹ Das ist meine Spezialität. Außerdem wollte ich schnell weg aus München. Und jetzt bin ich hier.«

»Ganz allein?«

»Ganz allein. Bei Bekannten, aber ganz allein.«

»Und . . . das macht dir nichts aus?«

»Aber wo. Ich bin ja noch jung. Da kommt noch alles Mögliche.«

»Ja«, sagte die Mutter und sah dem näher kommenden Ufer

entgegen, als sei es Feindesland. »Ja, das ist wohl der Unterschied.«

Elisabeth zog die Ruder ein, und das Boot glitt sacht zum Landesteg, wo Mac stand und wartete.

»Ich muß schnell nach Hause, Mutter. Hab' einen Rahmen aufgezogen, der ist jetzt trocken und muß abgenommen werden.«

Mac hielt das Boot mit einem Fuß, während er Karin beim Aussteigen half. Elisabeth sammelte die ungegessenen Brote ein, verpackte sie ordentlich in der Tüte und sprang auf den Steg.

»Adieu, Mutter. Ach, Mac! Komm doch noch einen Augenblick in die Stube.«

Karin dachte, ich hab' ihr ja nicht mal die Hand gegeben, und sie hat's nicht bemerkt. Sie stand noch einen Moment auf dem Steg und blickte auf die geschlossene Tür der »Stube«. Was verhandelten die beiden wohl da drinnen? Vielleicht bezahlte Elisabeth für die Brote. Ob sie hineingehen sollte und sagen: Laß mich das doch erledigen ... Lieber nicht. Es könnte falsch aufgefaßt werden, als gönnerhafte Geste.

Langsam machte sie sich auf den Weg und wanderte den Pfad unter den hohen Platanen am Wasser entlang. Sie war noch nicht weit gegangen, als Elisabeth in großer Eile an ihr vorbeiradelte und etwas rief, das wie »Mach's gut!« klang. Gleich darauf hörte sie Schritte hinter sich. Sie drehte sich um: Mac.

»Frau Ohnesorg! Warten Sie doch einen Augenblick! Ich habe Kaffee gemacht, aber Elisabeth hatte es ja so eilig ... Würden Sie mir das Vergnügen machen?«

Wie höflich der war! Nicht nur höflich, richtig nett. Das konnte sie jetzt gut brauchen, ihr war kalt. Wahrscheinlich von der Fahrt auf dem See.

Sie gingen schweigend zurück zum Bootshaus. Mac schien mit seinen Gedanken beschäftigt zu sein, und sie fühlte sich ihm gegenüber gehemmt und außerdem enttäuscht und mit sich selbst unzufrieden, obgleich sie nicht genau wußte, warum.

In der »Stube« stand der Kaffee bereits auf einem Tisch, der für zwei gedeckt war. Mac schenkte ein, und sie tranken, beide in absolutem Schweigen. Sie sah sich ein wenig um. Die Wände aus Naturholz, ungestrichen, die Blumen vor den Fenstern so dicht und so glühend, daß das Sonnenlicht sie innen widerspiegelte. Auch auf den Tischen standen kleine Schalen mit bunten, leuchtenden Blüten. Ja, ja, dachte sie und berührte eine der Blumen, selbst Gustav sagte damals – vor der Katastrophe natürlich – von ihm, er habe zwar schwarze, aber gesegnete Gärtnerhände.

»Frau Ohnesorg, wie ging es denn mit Elisabeth?«

»Ich glaube, nicht gut.«

»Es ist auch schwer, nach so langer Zeit. Das nächste Mal wird's leichter sein, Sie werden sehen.«

»Es gibt kein nächstes Mal.«

Er sah sie erstaunt an. »Warum denn nicht?«

Sie schüttelte den Kopf, rührte in ihrer Tasse. Nach einer Weile sagte sie: »Kommt sie manchmal hierher, um Sie zu besuchen?«

»Ja.«

»Sagen Sie ihr bitte, sie kann ruhig kommen, ich werde ihr ganz bestimmt nicht hier auflauern.«

»Warum sollten Sie das? Haben Sie nicht ihre Adresse und die Telefonnumer der Leute, bei denen sie wohnt?«

»Nein.«

»Seltsam. *Mir* hat sie sie eben gegeben, obwohl ich kein Telefon habe. Hat sie mir geradezu aufgedrängt! Ich hab' mich gewundert, warum sie auf einmal durchaus wollte, daß ich sie habe. ›Man kann nie wissen‹, hat sie gesagt. Und dann hat sie durchs Fenster auf Sie gezeigt und gesagt: ›Trink doch deinen

Kaffee anstatt mit mir mit meiner Mutter. Die kann ihn brauchen.«

»Das hat sie gesagt?«

»Hier.« Er holte einen Zettel aus der Tasche und schob ihn über den Tisch Karin zu.

Sie las einen Straßennamen, die Hausnummer und eine Telefonnummer. Darunter stand, so hastig geschrieben, daß sie es kaum entziffern konnte

ES VERPFLICHTET ZU NICHTS.

Knaur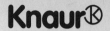

Taschenbücher

Von der internationalen Kritik begeistert aufgenommen:

Lilli Palmer

Nachtmusik

384 Seiten. (1090)

Wie kommt ein ruhiger, vernünftiger Mensch,
Universitätsprofessor für slawische Sprachen in
München, dazu, mittags auf einer Bank unter
dem Friedensengel in der Sonne zu sitzen – unfähig
sich zu rühren, voller Angst, den Verstand zu
verlieren?

Das Schicksal hatte es scheinbar darauf abgesehen,
Kaspar Schultes Leben durch zwei Ereignisse
bis in seine Grundfesten zu erschüttern – und beide
geschahen mysteriöserweise am selben Tag: Eines
war der plötzliche Tod seiner Frau auf einem
Parkplatz an der Autobahn. Von dem zweiten wußte
er noch nichts, aber es lauerte schon auf ihn: der
Tod des Nachtportiers eines Hotels im idyllischen
jugoslawischen Badeort Bled. Die »Nachtmusik«
im Hotel Godice, die verhängnisvolle – und Marjana,
die Kroatin, die in den Sonnenblumen lag, die
warteten dort bereits auf ihn...

Es gab nur eine Rettung für Kaspar: ausbrechen, alle
im Stich lassen. »Sei ein Schurke, träume nicht
nur davon!« hatte der Alte gepredigt, sein Onkel Stilz,
Zwerg und Riese zugleich, voller Bosheit und
Weisheit.

Und so macht sich Kaspar Schulte, ein anständiger
Mensch, an die schwierige Aufgabe ein Schurke
zu sein.